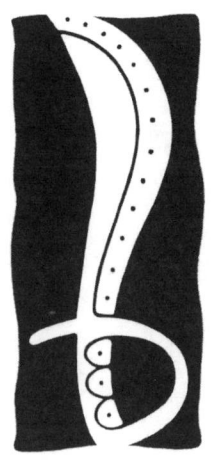

EPARREI!

coleção orixás

IANSÃ

**RAINHA DOS VENTOS
E DAS TEMPESTADES**

HELENA THEODORO

Rio de Janeiro
1ª edição | 4ª reimpressão
2024

Copyright© 2010
Pallas Editora

Editores
Cristina Fernandes Warth
Mariana Warth

Coordenação da coleção
Helena Theodoro

Preparação de originais
Eneida Duarte Gaspar

Produção editorial
Aron Balmas
Silvia Rebello

Revisão
Juliana Latini
Letícia Féres

Diagramação
Ilustrarte Design e
Produção Editorial

Concepção gráfica de capa,
miolo e ilustrações
Luciana Justiniani

(Este livro segue as novas regras do Acordo Ortográfico da Língua Portuguesa.)

Todos os direitos reservados à Pallas Editora e Distribuidora Ltda. É vedada a reprodução por qualquer meio mecânico, eletrônico, xerográfico etc., sem a permissão por escrito da editora, de parte ou totalidade do material escrito.

CIP-Brasil. Catalogação-na-fonte
Sindicato Nacional dos Editores de Livros, RJ

T355i	Theodoro, Helena
	   Iansã : rainha dos ventos e das tempestades / Helena Theodoro. –
	Rio de Janeiro : Pallas, 2010.
	   164p. -(Orixás ; 8)
	
	   Inclui bibliografia
	   ISBN 978-85-347-0407-6
	
	   1. Iansã (Orixá). 2. Orixás. 3. Candomblé. 4. Culto afro-brasileiros.
	I. Título. II. Série.

10-0116.	CDD 299.67 CDU 299.6.21

Pallas Editora e Distribuidora Ltda.
Rua Frederico de Albuquerque, 56 – Higienópolis
21050-840 – Rio de Janeiro – RJ
Tel./Fax: (21) 2270-0186
E-mail: pallas@pallaseditora.com.br
www.pallaseditora.com.br

Ao Fernando Jorge, meu parceiro, ao meu filho Nei e aos meus amigos Nelson e Marcinha, que ouviram e participaram.

À memória de meus pais Jurandyr e Léa, sempre presentes.

SUMÁRIO

APRESENTAÇÃO ♦ 11

PRÓLOGO ♦ 19

1 CULTOS DE BASE AFRICANA ♦ 23

2 RELIGIÃO TRADICIONAL AFRICANA ♦ 31

    A NATUREZA DO UNIVERSO ♦ 32
    A QUESTÃO DO TEMPO ♦ 40
    OS PRINCÍPIOS DO UNIVERSO ♦ 43

3 CULTO AOS ORIXÁS NO BRASIL ♦ 69

    RELIGIOSIDADE NEGRA EM SALVADOR ♦ 70
    RELIGIOSIDADE NEGRA NO RIO DE JANEIRO ♦ 76
    COMUNIDADES-TERREIROS ♦ 84

4 IANSÃ, RAINHA DOS VENTOS E DAS TEMPESTADES ♦ 103

    OFERENDAS E FOLHAS ♦ 110
    MITOS DE IANSÃ ♦ 112
    CÂNTICOS EM LOUVOR A OIÁ ♦ 136

5 IANSÃ E O PODER FEMININO ♦ 149

REFERÊNCIAS BIBLIOGRÁFICAS ♦ 159

APRESENTAÇÃO

O Brasil é um país que forja uma imagem de harmonia racial totalmente fora da realidade; o racismo sempre foi uma variável decisiva. O discurso racista conferiu as bases de sustento do processo colonizador, da exploração do trabalho escravo dos africanos, da centralização do poder nas mãos das elites locais no processo de pós-independência, da existência de um povo superexplorado pelas intransigências do capital. Dessa forma, fica claro que o racismo foi um amparo ideológico onde o país se apoiou para se fazer viável nos termos de pacto social racialmente fundamentado, pacto este de que as elites não desistirão.

A ausência de políticas públicas que pudessem tratar da inclusão dos negros na sociedade brasileira bem como a forma encontrada pelo Estado para se adequar à ausência do estatuto escravocrata fizeram com que o racismo se perpetuasse até os dias de hoje.

Ao longo dos tempos, o povo brasileiro vem sofrendo um processo de colonização que tenta inculcar valores ocidentais, esmagando as aspirações populares, gerando preconceitos e deseducando as pessoas para uma prática efetivamente solidária e democrática.

O país está dividido no Brasil oficial e no Brasil real. O oficial é baseado nos valores europeus, em que as questões raciais sempre foram escamoteadas, lançando mão, como disfarce, do mito da democracia; o real é o Brasil que luta há séculos pela defesa de sua cultura e passa a ser sujeito de seu próprio destino.

É necessário que se estabeleça um processo de descaracterização a partir do qual se crie uma consciência coerente na busca da identidade nacional.

Consciência esta que motive a luta contra a miséria e a marginalidade a que têm sido historicamente relegados os negros em nosso país.

Neste sentido, a questão racial deve ser encarada como responsabilidade de todos os (negros, brancos, índios e mestiços) interessados na construção de um novo Brasil, sendo de vital importância ao futuro da democracia.

Essa realidade acentua fortemente a forma de movimentação do catolicismo africanizado que, durante o período escravocrata, foi a forma mais forte de preservação das frequentes perseguições à cultura de raízes africanas.

Daquele período até os nossos dias, essas perseguições, baseadas fundamentalmente na violência e na produção de mortes, fizeram com que se constituísse um espaço por excelência para o regramento formal do cotidiano e a regulamentação dos conflitos.

É nesse contexto da cidadania afrodescendente, historicamente perseguida e ultrajada, que se destacam as lutas das mulheres negras na valorização da trajetória do nosso povo, com o poder de Iansã que nos guia e inspira e nos dá força para continuar, como diz Ana Maria Felippe — Coordenadora de Memória Lelia Gonçalez:

> *O Vento tem se encarregado de provocar e expandir o movimento das Mulheres como as identificadas nesse belo livro. O Tempo tem atualizado a luta contra toda forma de discriminação, para a dignidade plena. O Vento e Tempo, juntos, vêm bradando aos quatro cantos do mundo a situação das Mulheres Negras na Bahia e no Brasil. O Vento chegou! O Tempo é agora!*

Este tem sido o papel da professora Helena Theodoro, amiga, irmã de muitos anos, ao longo de sua trajetória no seu desempenho profissional, na sua defesa do samba e da dignidade da religião de matriz africana e afro-brasileira.

• IANSÃ •

Ao analisar Iansã, um dos orixás de princípio feminino do culto do candomblé do Brasil, é possível sentir as questões de gênero e as possibilidades de participação comunitária.

Pois bem, é com grande prazer que falo sobre sua obra que tem como premissa central exaltar a importância e a beleza do orixá Iansã dentro de um processo de visibilizar e valorizar as deusas africanas como elementos representativos das forças divinas propulsoras da história africana em nosso país.

Iansã, rainha dos ventos e das tempestades é veículo de uma história que não é contada no currículo das escolas — a história dos afro-brasileiros. Sem dúvida, atualmente já contamos com alguns títulos que nos apontam caminhos profícuos para uma nova ressignificação da educação e da cultura no Brasil como parte de um processo de visibilizar e valorizar a história do negro no Brasil.

Este trabalho aborda fatores determinantes nos quais se estabelece o fundamento de uma nova visão pedagógica de ensino, em que se inclui a história religiosa africana como matriz fundamental na religiosidade brasileira, criando assim uma reflexão sobre práticas educativas que possam desfazer preconceitos e refazer utopias.

Partindo da premissa de que a cultura fundamental deve ser o prolongamento e uma reflexão do cotidiano, por ser um legado comum de toda a humanidade, eu, educadora e militante do movimento negro, apresento este livro como uma obra que está comprometida a introduzir novos conceitos e percepções sobre o processo civilizatório em nosso país, criando a possibilidade de uma visão de mundo que seja legitimada na pluralidade do sistema cultural brasileiro.

Esta obra, acima de tudo, dá subsídios para que a escola e a sociedade possam ter uma compreensão para a aplicação da Lei 10.639, alterada pela Lei 11.645, de 10/03/2008, que, complementando as diretrizes e bases da educação nacional, incluiu no currículo oficial da rede de ensino a obrigatoriedade da temática História e Cultura Afro-brasileira e Indígena.

Vanda Ferreira
Ouvidora da Fundação Petrobras de Seguridade Social — Petros
Coordenadora do Programa Pró-Equidade
de Gênero, Raça e Diversidade da Petros

Prólogo

Muito se tem indagado sobre a permanência da religiosidade no mundo tecnológico e a sobrevivência das religiões de base africana nas Américas. Todas as previsões indicavam que o mundo dispensaria o sagrado. Mas ocorreu exatamente o contrário. Cada vez mais os grupamentos humanos buscam apoio em suas tradições.

Ao escrever um livro sobre Iansã, meu orixá, não poderia deixar de situar a importância do culto aos orixás e de todo o sistema simbólico tradicional africano, principalmente, na vida de brasileiras como eu, que vivem a realidade acadêmica, pesquisando e trabalhando na universidade, e, ao mesmo tempo, mergulham na ancestralidade, buscando, enfim, o equilíbrio entre as tradições, por acreditar na riqueza da pluralidade cultural e por reconhecer a necessidade de buscar o "umbigo", as raízes definidas na cultura e na tradição de seus antepassados.

Entender o processo civilizatório africano como um sistema religioso e político, complementar ao processo civilizatório europeu, foi fundamental para a compreensão da permanência dos cultos de base africana no Brasil, já que o fortalecimento da identidade e dos laços comunitários possibilitou maior coesão grupal pela aceitação da diversidade e ampliação do axé ou força de vida. Tais fatos me fizeram mais consciente de mim mesma e de meu papel no mundo. Constatei, então, que estes são os objetivos alcançados pelas comunidades-terreiros, e que eles justificam um aprofundamento maior no estudo de uma cultura que não é exclusiva de negros ou mestiços, já que privilegia as *pessoas*, por ter como proposta o *acúmulo de seres humanos* e não de bens, como acontece no mundo ocidental. A tradição dos orixás é uma forma de organizar o mundo que serve a todos e pode ser o caminho para um futuro menos violento do que os dias atuais.

Não poderia deixar de citar as pessoas que *acumulei* em minha experiência dentro do universo nagô, como Juana Elbein dos Santos, Mestre Didi, Mestre Agenor, Muniz Sodré, Ildásio Tavares e Marco Aurélio Luz, que influenciaram minha vida, dando-lhe sentido e direção.

Este livro se limita ao resultado de experiências de vida e a algumas reflexões sobre elas, sem a pretensão de esgotar tudo o que se pode saber sobre Oiá/Iansã. É apenas a homenagem de uma de suas filhas e o reconhecimento do importante papel do culto aos orixás na vida de uma mulher negra brasileira.

Helena Theodoro

1 | Cultos de base africana

Muitas foram as etnias que se mesclaram nas Américas e cujos membros foram genericamente denominados de "negros". Esses "negros" preservaram suas tradições culturais, que tomaram variadas formas, como o candomblé, no Brasil, a *santería*, em Cuba e os voduns, no Haiti.

No Brasil, o termo *nação* indica os grupos que cultuam divindades provenientes de uma mesma etnia africana. De maneira geral, os cultos negros no Brasil se dividem em três grandes nações:

- o culto nagô dos orixás, de língua iorubá, proveniente da Nigéria, implantado pelos iorubás e seus descendentes;
- o culto jeje dos voduns, de língua fon (jeje), proveniente do antigo Daomé, implantado por descendentes da família real do Abomey, pelos fons ou minas;
- o culto banto dos inquices provenientes de Angola, Congo e Costa do Marfim, de língua banta, implantado pelos quimbundos e umbundos, que pode ser chamado genericamente de nação angola.

As grandes nações têm subdivisões cujos nomes podem evocar etnias ou importantes locais africanos, como Ketu (cidade do Benin de que o orixá Oxóssi foi rei) e Oió (um dos principais reinos iorubás, centro difusor da cultura de Ifé, considerada a mais antiga cidade nigeriana, berço das instituições políticas e religiosas dos nagôs).

Na Bahia, vamos encontrar os candomblés:
- nagôs ou iorubás: ketu (ou queto), ijexá e efan;

- bantos: congo e cabinda;
- ewe-fons: jeje-mahins;
- além do candomblé de caboclo.

Já em Pernambuco, temos os xangôs (nome local dado ao candomblé) de nação nagô-egbá e os de nação angola. No Maranhão, encontramos o tambor-de-mina das nações mina-jeje e mina-nagô. No Rio Grande do Sul, o batuque oió-ijexá se faz presente, sendo também chamado de batuque de nação.

Nos terreiros de São Luís (Maranhão), como os voduns mina-jeje são quase desconhecidos fora do tambor-de-mina, os pais e mães de santo procuram fazer uma correlação com os orixás cultuados no candomblé. Assim, encontramos Sobô como Iansã, sendo festejada a 5 de dezembro e relacionada a Santa Bárbara. Ferretti (2001) descreve o terecô (culto afro-brasileiro de Codó, cidade maranhense) como uma integração do tambor-de-mina de São Luís com o tambor-da-mata num mesmo ritual. Segundo o autor, o terecô cultua voduns da família de Queviossô, como Averequete, Euá e Sobô (Oiá), embora sua identidade seja mais afirmada em relação à cultura banta, que também reverencia Oiá/Iansã. Esses cultos têm relação com os voduns do Haiti.

A *santería*, o culto aos orixás presente em Cuba, tem a mesma origem do candomblé nagô brasileiro. Os que praticam a religião são chamados de *santeros*, e o *lucumi* — sobrevivência do iorubá — é usado como língua litúrgica.

Constatamos assim que, como no Brasil, em todos os países da América Latina e do Caribe, nas diversas tradições que aqui chegaram, se mantém a representação simbólica de Oiá.

É importante situar que os cultos de base africana não estabelecem fronteiras entre sagrado e profano como ocorre no mundo cristão. Neles os orixás (para os nagôs), inquices (para os bantos) ou voduns (para os jejes) são entidades divinas: forças da natureza ou heróis divinizados que as representam. Essas entidades têm uma função *cósmica*, *social* e *pessoal*, sendo encarregadas de uma missão específica que "contribui para a formação do mundo, dos seres que o habitam, além de ajudar a definir e estabelecer os princípios que regem o mundo, os homens e suas relações" (SANTOS, 1977).

É preciso entender que os africanos se preocuparam em viver intensamente todos os sentidos, incluindo audição, visão, sensação, tato e olfato, o que lhes possibilitou a construção de uma visão muito ampla sobre o mundo e o universo.

Para Altuna (1985), o ser humano na cultura banta é chamado de *muntu* por ser entendido como um ser especial, distinto dos demais. Este ser é dotado de uma estrutura de personalidade ativa e dinâmica, que o faz ver a vida não apenas como um mover-se no espaço. É considerado especial também por ter uma forma humana com olhos que veem, ouvidos que ouvem atentamente, vigor, sensibilidade e sensualidade, que lhe permitem captar as ondas infinitas da energia cósmica e sentir-se imerso na corrente participativa vital que o faz parte integrante de toda a criação.

Essa energia é o *axé*, poder de realização, força de vida, força dinâmica presente em divindades, locais sagrados, objetos consagrados, elementos da natureza, partes de animais, plantas e determinados minerais. Verger (2000) afirma que, para os iorubás, a palavra falada transmite saber, comunicado e expresso cotidianamente. A fala é veículo de axé, enquanto a palavra escrita não tem esta força:

(...) a palavra para ter valor deve obrigatoriamente ser pronunciada; o conhecimento transmitido oralmente possui a força de uma iniciação, que não se dá a nível da compreensão racional, mas àquele dinâmico do comportamento. Este saber se alicerça sobre reflexos e não sobre racionalizações — reflexos provocados por impulsos provenientes do acervo cultural pertencente ao grupo e que valem, principalmente para este grupo (...)

Muitas dessas ideias se desenvolveram individualmente, mas foram continuamente expressas entre os povos, com discussões, formas de expressão artística etc., gerando o culto aos orixás, aos ancestrais, às plantas e a Ifá. Com linhas básicas gerais semelhantes, apesar das variações regionais, essa crença se fez conhecida como Religião Tradicional Africana. No Brasil, todas as etnias, sejam elas nagôs, bantas ou jejes, se apoiam nela.

Apresentamos aqui algumas ideias básicas que a formam, sendo que os exemplos dados se relacionam aos nagôs — nação a que pertenço —, mas servem como base para a visão das demais nações.

2 | Religião tradicional africana

A crença numa energia maior, denominada Olorum (Deus), é básica para todos os africanos. Eles veem o universo como uma religião e o tratam como tal, mas o sentido da religião que adotam é dinâmico e contextual, o que implica uma forma de viver que forja uma identidade, que transmite e elabora a experiência individual e coletiva de maneira específica.

Existem vários mitos sobre a criação do universo, no entanto um ponto é comum a todos: *o homem sempre* se *coloca no centro*. Todos os povos africanos mostram que todas as coisas foram criadas, mas que o *homem* foi a criação mais importante e mais privilegiada por Olorum. Assim, temos Deus, o criador, que primeiro criou o espaço e, depois, fixou-se nele criando a Terra. Alguns mitos *contam* o universo. Outros dizem que o universo inteiro foi criado por um só ato. O importante é que, para toda a visão africana, para todos os negros, Deus criou o mundo e continua criando, num processo que, provavelmente, nunca terá fim.

Segundo John Mbiti (1970), o indivíduo tem uma participação na religião que começa antes de seu nascimento e continua depois de sua morte. Para o homem africano, a totalidade da existência é um fenômeno religioso.

2.1 A NATUREZA DO UNIVERSO

Para os que professam os cultos de base africana, o universo se divide em duas partes: uma visível —

o *aiyê* — e outra invisível — o *orum*. Olorum é frequentemente imaginado junto com outros seres que com ele vivem (energias menores) ou que por ele são protegidos, e que são responsáveis por diferentes departamentos do universo. Alguns atuam como mensageiros (Exu) ou ministros (orixás) de Olorum, e outros (caboclos e pretos-velhos) são como seus filhos. Desta maneira, para os cultos negros existem mais partes entre o céu e a terra do que o que nós podemos ver.

Conta Juana Elbein dos Santos (1977) que alguns babalaôs descrevem o orum como composto de nove espaços, como relatam várias histórias de Ifá. A autora afirma que é comum se chamar a terra de aiyê, mas é preciso entender que *ilê* — a terra — não compreende a totalidade do aiyê. Da mesma forma, ao se falar de orum não se trata apenas do céu, mas de todo o espaço sobrenatural. Olorum é entidade suprema; não apenas o Deus ligado ao céu, mas aquele que possui todo o espaço abstrato paralelo ao aiyê, o senhor de todos os seres espirituais, das entidades divinas, dos ancestrais de qualquer tipo e dos dobles espirituais de tudo que vive. É também conhecido como Eledá, que significa Criador, o que indica que o ser supremo é o responsável pela existência de todas as coisas.

A terra também é plena de coisas criadas, sendo considerada *Mãe Terra*, *Terra sagrada* ou mesmo *A divindade da terra*. Simbolicamente é vista como a mãe do universo, enquanto o espaço é o pai. Todos os cultos afro-brasileiros demonstram respeito à terra. A união do orum com o aiyê é indicada pela linha do horizonte, que tanto serve para separar como para unir essas duas partes. Santos (1977) afirma que a representação mais conhecida do universo consiste em uma cabaça formada por duas metades unidas, sendo que a metade inferior representa a terra (Odudua) e a superior, o céu (Obatalá), tendo como conteúdo uma série de elementos. Esta representação é chamada de *igba-du* ou *igbadu*.

Sacrifícios são feitos para a divindade Terra, já que nela estão objetos animados e inanimados, que exis-

• IANSÃ •

tem por razões religiosas, como montanhas, cachoeiras, pedras, florestas, árvores, pássaros, mamíferos e insetos. O homem, que vive na terra, é o centro do universo, e também seu sacerdote, por ser a ligação do universo com Deus, seu criador. O homem desperta o universo, fala com ele, ouve o que ele diz, tenta criar a harmonia entre todos os seus componentes. É o homem quem transforma partes do universo em objetos sagrados, e quem usa outras partes para sacrifícios e oferendas. Assim, há uma constante revisão do povo no sentido de olhar o universo como pleno de religiosidade.

Mbiti (1960) estabeleceu cinco categorias para a ontologia africana, que a descreve como extremamente antropocêntrica, já que tudo é visto em função de suas relações com os homens. Essas categorias são:

1) Deus — é a suprema origem da criação e o mantenedor do homem e de todas as coisas;
2) Espíritos — são os seres supra-humanos e os espíritos dos homens que já morreram;

3) Homens — são todos os seres humanos vivos e tudo que se relaciona com eles desde o seu nascimento;

4) Animais e plantas — constituem o restante da vida biológica;

5) Fenômenos e objetos sem vida biológica — formam o meio físico.

Expressando a centração no homem, tais categorias situam Deus como seu criador e mantenedor. Os espíritos explicam o destino do homem. O homem é o centro desta ontologia. Animais, plantas, fenômenos naturais e objetos constituem o meio no qual o homem vive, provendo os recursos para sua existência e, se for necessário, estabelecendo uma relação mística com ele.

Esta ciência do ser é entendida como antropocêntrica porque o homem estabelece, entre as diferentes categorias, uma unidade completa que não pode ser quebrada. É impossível destruir ou retirar uma dessas categorias sem destruir, automaticamente, a existência, inclusive do Criador, o que também seria impossível. Uma forma de existência pressupõe todas as outras, e o equilíbrio precisa ser mantido de qualquer maneira, já que a soma dessas cinco categorias é uma força, poder ou energia que permeia todo o universo. Olorum é a fonte e o último controlador desta força, mas os espíritos também têm acesso a ela. Poucas pessoas têm o conhecimento e a habilidade para lidar, receber e usar esta força, a que chamam de axé. São elas: os médicos que lidam com a medicina natural (conhecimento de ervas e da química natural), os feiticeiros e os sacerdotes, que tanto podem usar esta força vital para o bem como para o mal de suas comunidades.

Santos (1977) analisa o orum como sendo muito mais que o céu ou paraíso, indicando-o como "um mundo paralelo ao mundo real que coexiste com todos os seus conteúdos. Cada indivíduo, cada árvore, cada animal, cada cidade etc. possui um duplo espiritual e abstrato no orum". A autora ainda informa que, segundo os mitos, inicialmente o aiyê e o orum não estavam separados, como se pode comprovar neste *itã* (mito transmitido pelo babalaô, o sacerdote-adivinho):

No tempo em que o aiyê e o orum eram separados, um casal de certa idade, cuja mulher não tinha filhos, chegou até Oxalá e implorou que pudessem gerar um filho. Voltaram várias vezes para o mesmo pedido e sempre contaram com a recusa de Oxalá, até que um dia, vendo tanta insistência, Oxalá cedeu, recomendando, porém, que a criança não poderia jamais ultrapassar os limites do aiyê. Nasceu a criança e, desde os seus primeiros passos, seus pais tomaram todos os cuidados possíveis para que não chegasse ao orum. No entanto, todas as vezes que via o pai ir trabalhar no campo, o menino pedia para acompanhá-lo. Todos os artifícios foram usados para impedir que a criança fosse com o pai. Assim, conforme o menino ia crescendo, crescia nele o desejo de ir até onde o pai estava. Ao atingir a puberdade, resolveu fazer um buraquinho no saco que o pai levava todos os dias e pôs uma certa quantidade de cinza no fundo. Desta forma, guiado pela trilha de cinza, localizou e seguiu o pai. Andou muito tempo até chegar ao limite do aiyê, onde o pai possuía suas terras. Neste momento, o pai percebeu que era seguido pelo filho, mas não conseguiu detê-lo. O jovem atravessou o campo, apesar dos gritos do pai e dos outros lavradores, ultrapassando os limites do aiyê, sem atender às advertências do guarda. Já no orum, o rapaz faltou ao respeito a todos os que queriam impedi-lo de prosseguir em sua caminhada, desafiando, aos gritos, o poder de Oxalá. Após atravessar os vários espaços que compõem o orum, lutando contra todos, chegou ao anteespaço do lugar onde estava o grande Oxalá, a cujos ouvidos chegou aquele desafio absurdo. Apesar de ter sido chamado a atenção inúmeras vezes, o jovem insistiu até que Oxalá, irritado, lançou seu cajado ritual, o opaxorô, que atravessou todos os espaços do orum e veio cravar-se no aiyê, separando para sempre orum e aiyê, antes de retornar às mãos de Oxalá. Surge, então o sánmò (a atmosfera) entre o aiyê e o orum. (SANTOS, 1977)

Oiá, por estar associada ao vento, às tempestades e aos raios, faz a ligação entre aiyê e orum. Seu outro nome, Iansã, significa "mãe dos nove", representando os nove estuários que o Rio Níger despeja no mar, os nove filhos que teve (sendo Egungun o mais jovem deles) e os nove espaços que, segundo os mitos, separam o aiyê do orum.

2.2 A QUESTÃO DO TEMPO

O universo é considerado em termos de espaço e de tempo. Ninguém pode alcançar a borda do universo, já que não se conhece a sua orla. Justamente porque não existe beira, conclui-se que não há margem (limite) no universo. Da mesma forma, em termos de tempo, não se sabe quando o universo começou nem o que ocorre depois dele. É o *mistério* (*awô*) da Vida e da Morte. No entanto, todo o povo negro acredita que "*o mundo nunca terá fim*", pois ainda não fomos capazes de conhecer tudo.

· IANSÃ ·

As ideias africanas sobre o tempo se relacionam ao presente, ao passado e a alguns elementos do futuro que, em alguns casos, podem continuar indefinidamente. Segundo Mbiti (1970), tudo possui um ritmo maior ou menor. O ritmo menor é encontrado na vida das coisas que vivem na terra, assim como o homem, os animais e as plantas, durante seu ciclo de nascimento, crescimento, procriação e morte. Esses ritmos são sentidos na existência de todas as coisas que têm vida física.

O ritmo maior do tempo inclui acontecimentos, como o dia e a noite, os meses — que se baseiam nas fases da lua —, as estações de chuva e de seca e os acontecimentos da natureza que podem ocorrer em grandes intervalos, como o aparecimento ou desaparecimento de certas plantas, a migração de animais e insetos, as secas e certas movimentações dos astros. Todos esses ritmos de tempo sugerem que o universo não muda sem ser no momento em que deve mudar.

Círculos são utilizados em vários lugares para representar a continuidade do universo. Eles são símbolos da eternidade, do interminável, da continuidade. Os círculos podem ser usados em rituais, na arte, em pedras pintadas, como decoração de paredes ou de utensílios domésticos.

A mesma ideia é celebrada nos rituais que reconectam o homem com o nascimento, a morte e o renascimento, mostrando que a vida é tão forte quanto a morte. Isto também significa que a continuidade do mundo é mais importante que a mudança de pequenos detalhes. Assim, as pessoas são ligadas às leis da natureza que, normalmente, não podem mudar. Desta forma, não há nada na terra que o homem possa imaginar que tenha um poder maior do que o do universo, ou que possa fazê-lo terminar. Enfim, o universo é considerado permanente, eterno e interminável.

Deduz-se, então, que a visão africana apresenta um universo que é visível e invisível, infinito e sem limites, já que foi criado por Deus (Olorum), que é seu sustentáculo, seu mantenedor e guardião. Por outro lado, o homem é o verdadeiro centro do universo, pois é capaz de conectar o visível com o invisível, de estabelecer a relação de todas as coisas que existem com o Criador.

Iansã representa um rio que faz seu próprio caminho, um raio que traça seu destino e a fêmea do búfalo que decide o melhor caminho na mais densa floresta. Iansã é o mistério da vida, é a rainha dos mortos, além de ter uma parte mulher e uma parte animal ligada ao primeiro ancestral, à continuidade da vida, ao tempo e ao espaço.

2.3 OS PRINCÍPIOS DO UNIVERSO

Para Ajisafe (1924), em seu *The laws and customs of the yoruba people*, os nagôs ou iorubás estabeleceram padrões morais e éticos muito significativos, formulando valores para a sociedade, em função dos quais as pessoas preservam a harmonia de um universo profundamente organizado, o que torna obrigatória a utilização de várias leis em suas vidas.

PRIMEIRA LEI

Há uma ordem nas leis da natureza. Preservar tal ordem dá ao homem segurança e certeza de continuidade do universo. Se estas leis forem mudadas, poderá advir o caos, que colocará o mundo e a existência do homem em perigo.

Vários exemplos desta primeira lei se encontram na preocupação com o equilíbrio ecológico que se observa em inúmeros mitos e contos nagôs. Segundo Gleason (1999), Oiá, em sua forma mais temida e livre, é a representação do tempo atmosférico, cujo poder se pode constatar no poema de Leopold Senghor, intitulado *Furacão*[1], que mostra como o homem

---

[1] SENGHOR, L. S. *O furacão*. Tradução de Leo Gonçalves. Postado em 7 de maio de 2006. Disponível em: http://www.salamalandro.redezero.org/o-furacao/ Acessado em 11 de novembro de 2009. (Original em francês: *L'Ouragan*)
Léopold Sédar Senghor (1906-1982) foi um dos maiores ativistas da independência dos países africanos; foi presidente do Senegal de 1960 a 1980.

precisa aplacar os elementos, mantendo o equilíbrio do meio ambiente:

O furacão arrasta tudo em torno de mim
e o furacão arrasta em mim folhas e palavras fúteis.
Turbilhões de paixão silvam em silêncio
mas paz sobre o tornado seco, ao final do inverno!
Tu, vento ardente, vento puro, vento de primavera, queima toda flor, todo pensamento vão
quando recai a areia sobre as dunas do coração.
Serva, suspende teu gesto de estátua e vós, crianças, vossos jogos e risadas de marfim.
Tu, que ela consuma tua voz com teu corpo, que ela seque o perfume de tua pele,
a chama que ilumina minha noite, como uma coluna e como uma palma.
Abrasa meus lábios de sangue, espírito, sopra sobre as cordas da minha kora[2],
que se erga o meu cantar, puro como o ouro de Galam[3].

---

[2] Espécie de guitarra de 21 cordas feita de cabaça, típica do Senegal e países vizinhos.
[3] Refere-se à Costa do Ouro, na África Ocidental.

• IANSÃ •

Os tornados são entendidos pelos africanos como os filhos de Iansã.

O vento traz o movimento, e o poema de Senghor nos leva a imaginar a energia de Iansã dentro de nós, acelerando os batimento cardíacos, levando à paixão e às palavras que se formam pela passagem do ar entre dentes e língua, traduzindo pensamentos. Sabemos como palavras e melodias, que se espalham pelo ar, equilibram ou desequilibram as pessoas. Além disto, Iansã (no Brasil) ou Oiá (na África) está relacionada ao ar em movimento que arranca as telhas das moradias e derruba as árvores.

Os contos e mitos africanos falam de sacrifícios que aplacam o vento que suga a seiva da flor e destrói os edifícios, situando o homem como responsável pelo equilíbrio da Terra, como mantenedor da ordem natural das coisas.

Mestre Didi[4], em seu conto *O caçador e a caipora* (SANTOS, 1976), comprova mais uma vez o papel

---

[4] Deoscóredes Maximiliano dos Santos, sacerdote supremo de uma das principais casas de culto de egum no Brasil.

do homem como responsável pelo compromisso de levar um presente para o mato sempre que fosse caçar. Quando deixou de cumprir o prometido, teve todo o resultado de sua caçada perdido. Este é o princípio de trocas que caracteriza todo o sistema: *se eu quero mais energia de vida, eu ofereço energia primeiro*. Esta é a base dos sacrifícios e das oferendas.

Iansã é divindade da floresta e dos caçadores e está ligada aos animais e aos espíritos da floresta. Conectada também aos ventos e às folhas, propicia proteção e remédios.

SEGUNDA LEI
Há uma ordem moral para o trabalho do Homem.

Os nagôs acreditam que Deus dá dignidade para aqueles que buscam harmonia e felicidade com os outros. Através desta ordem moral, costumes e instituições são criados nas sociedades, visando salvaguardar a vida do indivíduo e da comunidade em geral. A ordem moral ajuda o homem a trabalhar e a se fazer conhecer dentre os outros por suas qualidades, seus direitos e capacidades.

Cada sociedade é capaz de formular os valores em função dos quais irá preservar a ordem moral do universo. Esses valores promovem relações de amizade e harmonia entre os povos, entre os povos e Deus, e entre os homens em suas relações com o mundo e com a natureza.

Os nagôs estabeleceram padrões morais e éticos muito significativos, sendo a preocupação primeira a *família*, que é extensiva, já que inclui empregados e escravos como seus componentes, sendo o chefe da grande família, chamado *Bale*, o cabeça de um grupo de casas nas quais moram os familiares. Todo Bale é a autoridade máxima de sua família e tem o poder de julgar e decidir sobre as pessoas que vivem em sua casa, podendo punir e até prender quem for culpado de algum crime ou tiver má conduta, sem precisar recorrer às autoridades competentes. Quando o Bale morre, seu sucessor, que deve ser seu filho, irmão ou primo, ocupa seu quarto ou apartamento depois de ser formalmente conduzido ao posto. Ninguém pode contrariar as ordens ou determinações do Bale.

Constata-se entre os iorubás a preocupação máxima com a terra e com a preservação da família, como se pode inferir do mito de Oiá, que trata dos mistérios da mulher que se transforma em búfalo, protege os caçadores e os filhos. Como mãe dos eguns (espíritos dos mortos), que controla e comanda, ela é responsável pelo ritual de "assentamento" dos ancestrais masculinos no meio da floresta, no tronco da árvore *akoko*, sendo, assim, o elo de ligação entre as gerações passadas e futuras, um verdadeiro princípio dinâmico do movimento que mostra a continuidade histórica das famílias. Iansã, por ser mulher de Xangô, tem o fogo que propicia o poder. É mulher guerreira, plena de liderança e dedicação ao parceiro e aos filhos.

Pode-se constatar a manutenção da tradição de preservação da ordem moral para o trabalho do homem, pela grande hierarquização das comunidades--terreiros, que se organizam por atividades, pela idade e pelo número de anos de "feitura do santo", já que quanto maior o grau de iniciação possuído por cada um, mais axé ou sabedoria ele terá.

No Brasil, a principal sacerdotisa de uma casa de santo (terreiro de candomblé) é a ialorixá, a quem cabe a distribuição de todas as funções do culto praticado nas comunidades-terreiros de orixá e a mediação entre os homens e os orixás. Seu equivalente masculino é o babalorixá. São conhecidos também como pai e mãe de santo. A ialorixá e as demais autoridades do terreiro funcionam como no governo das tribos africanas, que tem um líder supremo (ialorixá ou babalorixá), chefes conselheiros do rei (mães pequenas, ogãs, ekédis) e subchefes setoriais (responsáveis pela cozinha, pelas folhas, pelos sacrifícios, pela administração do terreiro etc.).

TERCEIRA LEI

Há uma ordem religiosa no universo.

A base de tal afirmação é a crença de que o universo foi criado e continua sendo mantido por Olorum, que interpreta a vida e as experiências das pessoas. Logo, as leis da natureza são modificadas ou preservadas por Olorum diretamente ou através de seus ministros (Oxalá, Odudua, Orunmilá, Ogum etc.).

A moral e as instituições sociais devem apoiar Deus nesta tarefa de organização e preservação do mundo. Entretanto, Olorum não é um punidor nem controlador dos homens. Há, porém, tabus que têm a força de manter a ordem moral e religiosa. Esses tabus se relacionam a diferentes aspectos da vida, como palavras, comidas, roupas, relações entre as pessoas, casamento, enterro, isolamento social, infortúnios e, também, morte. Se a pessoa não é punida por ofensas ou erros, então o mundo invisível poderá puni-la. Esta visão se prende à crença na religiosidade da ordem do universo, na qual Deus e outros seres invisíveis são pensados por estarem engajados na vida do homem.

Logicamente, em seu sistema ético, os indivíduos vão dar uma grande importância ao pacto que fazem com a divindade e com outras pessoas, usando a terra como testemunha. O nome genérico dos pactos — *imulê* — significa literalmente "*bebendo junto com a terra*" ou "*bebendo juntos por causa da terra*".

Para Sodré (1983), o sacrifício (*ebó*) é uma operação indispensável, transportada pelo mensageiro Exu, dinamizando a relação entre vivos e ancestrais (eguns) ou princípios cósmicos (orixás), reequilibrando o circuito coletivo das trocas, de forma a permitir a expansão do grupo. O sacrifício implica a eliminação simbólica da acumulação e um movimento de redistribuição: os princípios da morte entram em contato com os da vida, da natureza e do cosmos, num encontro com os humanos, transmitindo axé — força vital.

Nos cultos de base africana, a troca é sempre simbólica e reversível, não havendo noção de pecado. Nas relações dos homens com orixás, animais ou plantas, do princípio masculino com o feminino, há sempre as dimensões de mistério (*awô*) e luta (*ijá*). Os nagôs distinguem falhas rituais que possam ofender os orixás, abandono de tradições que devem irritar seus ancestrais e quebra de ordens dadas pelos orixás que se relacionem à moral adotada pelo grupo, mas não existe o sentido de pecado. Às vezes é difícil distinguir o que é simplesmente problema de ritual do que é puramente ético, já que um envolve o outro, como no caso da abstinência sexual, de vinho, carne e pão, e dos banhos necessários para a participação nos ritos. Tais dados são vistos como aspectos que tiram a pureza do rito, mas que assumiram conotação ética com o decorrer do tempo. Desta maneira, a abstinência sexual é vista como um aspecto moral e uma base espiritual.

Pode-se entender, então, como tabu tudo aquilo que é desaprovado pelos orixás. Os nagôs denominam *tabu ewô* todas as coisas que são proibidas, entendendo-se as punições determinadas pelos homens como vontades expressas pelos orixás e, automaticamente, por Deus.

Os orixás possuem atributos específicos no cosmos e no indivíduo, criando uma relação dinâmica entre o mundo exterior, o grupo e o indivíduo. Esta relação é regida e criada pelo princípio e pelas características que cada um dos orixás representa. O orixá é um poder que pode agir separada ou simultaneamente nas funções cósmica, pessoal e social, estando cada indivíduo preparado para permitir que esta força atue. É o grau de iniciação no terreiro que irá regular a manifestação desta força em cada um, tornando-a presente e inteligível para o grupo através da possessão.

• Olorum

O nome de *Olorum* é composto pelo prefixo *Ol* (oni, tudo, todo) e por *orum*, que significa "o proprietário ou senhor do céu". Olorum (também chamado de Olodumare) é entendido como o criador de todas as coisas e seres, sendo também o Juiz Supremo de todos.

Contam os mitos que Olorum, após criar o céu e a terra, trouxe consigo divindades e espíritos — geralmente chamados orixás, imolê ou ébora —, para servir a seu mundo teocrático. As divindades e os espíritos estão colocados juntos porque os nagôs não deixam muito clara a distinção entre eles. Ambos são divinos e vivem no mundo espiritual. Desta forma, tais seres são de natureza complexa, sendo que alguns deles acompanham Deus desde antes da criação da terra e dos seres humanos, podendo ser chamados de "divindades fundamentais". Além deles, figuras históricas de reis, heróis, heroínas, campeões de guerra, fundadores de cidades etc. podem ser divinizados. Existem ainda outras divindades que representam personificações das forças naturais ou de fenômenos, tais como: terra, vento, árvores, rios, lagoas, mar, rochas, montanhas e vales. Pode-se afirmar que os nagôs, nas mais diversas situações, estão sempre relacionando suas atividades e seus pensamentos com Olorum, já que os orixás não têm existência distinta da dele.

Os orixás estão associados a movimentos serenos, a repouso, a silêncio. São dotados do equilíbrio indispensável à manutenção de tudo o que nasce e morre. Estão situados à direita de Olorum, enquanto os espíritos dos ancestrais (eguns) estão à esquerda.

· IANSÃ ·

Segundo um odu de Ifá, existem seiscentos *imolês* (seres espirituais) conhecidos, sendo quatrocentos da direita e duzentos da esquerda. Esses números são usados na África para representar grande quantidade. Os números 201, 401 ou 601 são citados como a representação de mais um imolê que se adiciona. Este excedente simboliza Exu, já que ele tanto se liga à direita (orixás) quanto à esquerda (ancestrais), veiculando axé de um lado para outro, por ser o comunicador do sistema.

No Brasil, o número e o nome das divindades provenientes do panteão africano variam muito, segundo a casa a que pertecem e a elas foram acrescidas outras surgidas aqui. Iansã é uma das inúmeras divindades existentes no Brasil e na África. As divindades apontadas por Awolalu (1979) como sendo as fundamentais na África são: Oxalá, Odudua, Orunmilá, Exu e Ogum.

• Oxalá

Oxalá é o nome usado no Brasil para Obatalá (o senhor do pano branco), também conhecido como Orixanlá. Principal orixá dos nagôs, filho de Olorum, foi incumbido de criar a terra e o homem. Seu culto é conhecido em toda a África iorubá seu nome varia de acordo com a comunidade que o cultua, apesar de o culto ser o mesmo em toda a África. É o chefe dos orixás, a representação do princípio masculino.

Oxalá é o Deus da Criação, pois modela a cabeça (*ori*) dos seres que habitam o universo. Simboliza "massa de ar" e "massa de água", elementos básicos com os quais realiza sua criação. Mas também se relaciona com as árvores, pois contam os mitos que, para cada ser humano que criava, Oxalá criava, simultaneamente, uma árvore.

Notável por sua pureza, é a imagem da totalidade, pois é o Deus dos começos, das realizações, da vida e da morte. Branco é a sua cor, e ele é um dos orixás *funfun* (do branco), como todos os da criação. Oxalá é o orixá que inicia o ano em cada terreiro de candomblé, através do ciclo das águas de Oxalá, que se tornou conhecido em todo o Brasil como a Lavagem do Bonfim.

Oxalá se apresenta de duas formas: como um jovem guerreiro que simboliza o arrebol — Oxaguiã — ou como um velho, curvado pelo passar dos anos, simbolizando o sol poente — Oxalufã. Suas insígnias, feitas em prata, são a espada, o pilão e o *opaxorô* — cajado formado por uma haste, com aros superpostos adornados de pingentes, encabeçada por uma pomba, símbolo do poder. Seu dia da semana é a sexta-feira. Sua saudação é *Epa Epa babá!*

• Orunmilá

É o orixá da adivinhação. Contam os mitos que Orunmilá recebeu de Olorum a incumbência de acompanhar Oxalá e de lhe dar a ajuda necessária para equipar a terra.

Orunmilá se caracteriza por seus conhecimentos, já que acumula todos os ensinamentos universais, teológicos e cosmológicos dos nagôs, assim como da gênese, das experiências míticas dos seres e dos mundos visível e invisível. Esses segredos são revelados por Ifá, a representação de Orunmilá utilizada pelo adivinho. A relação de Orunmilá com os seres criados ou descendentes só se concretiza através de um intermediário, Exu. Somente Exu é capaz de atuar veiculando axé, por ser o comunicador do sistema.

• Odudua

Os mitos indicam Odudua (ou Odua) como uma divindade fundamental, a *chefe dos orixás do princípio feminino*, sendo associada à água e à terra. Odudua é considerada o aspecto feminino de Oxalá (Obatalá). Odudua e Obatalá são simbolicamente representados pelo igbadu, a cabaça ritual que é a representação do universo, sendo a metade inferior Odudua e a superior Obatalá. Simbolicamente, a cabaça igbadu não pode ser quebrada, já que representa a união entre Obatalá e Odudua, entre orum e aiyê, elementos que possibilitam a procriação e a continuidade da existência.

Segundo os nagôs de Ilê Ifé (capital religiosa dos iorubás, fundada no local da criação da terra), a tradição indica Odudua como o princípio criador da terra e de seus habitantes, em lugar de Oxalá, que teria sido o indicado por Olorum, mas que, ao beber a seiva de palmeira, perdeu suas forças, adormecendo e falhando em sua missão. No Brasil se aceita o mito que revela como Odudua recebeu de Olorum o elemento terra, com o qual criou o nosso mundo, o aiyê.

Conta esse mito que Odudua vê Obatalá sem cumprir sua missão, consulta Ifá e faz um ebó (sacrifício) aos pés de Olorum, conseguindo, assim, a autorização da Suprema Energia para ocupar o lugar de Obatalá. Odudua chama os orixás e vai criar a terra. Ao acordar, Obatalá vai a Olorum, que, tentando acalmá-lo, transmite-lhe profundo saber e poder para criar os seres que iriam povoar a terra.

Obatalá encontra os orixás que esperavam por ele para a criação dos seres e, encontrando Odudua, tem com ela uma série de divergências e até mesmo atritos. Orunmilá consulta Ifá, para acabar com a disputa, recebendo a solução pelo odu *Iwori-Obere*. Coloca os dois face a face, explicando a importância de suas tarefas, reconfortando Obatalá, acalmando e aconselhando Odudua e indagando se sua missão não é viverem juntos na terra. Assim, Orunmilá faz Odudua sentar-se à sua esquerda e Obatalá à sua direita, fazendo os sacrifícios necessários para selar o pacto.

Em alguns mitos, Odudua aparece como herói lendário masculino, fundador de Ifé e de diversas dinastias iorubanas.

• Exu

Conhecido também como Elebara ou Lebara, é o mensageiro dos orixás, o portador de todas as oferendas e o guardião do mercado, dos templos, das casas e das cidades. Seu dia é segunda-feira. Suas cores são o vermelho e o preto. Sua saudação é *Laroiê*!

Exu é o elemento dinamizador do sistema, que possibilita a transformação, o movimento, enfim, a dinamização de tudo. Só através dele se transmite e circula o axé.

Filho de Orunmilá, Exu fala através do oráculo de Ifá, estabelecendo, assim, a relação aiyê-orum, orixá-orixá e orixá-pessoa, por meio dos ebós (oferendas) que transporta. As obrigações realizadas por intermédio de Exu implicam capacidade de realização e força vital (axé) para as pessoas.

- Ogum

É o orixá nacional iorubá, filho de Iemanjá e Oraniã, ou de Odudua. É o orixá da agricultura, da guerra e da caça. Seu dia é terça-feira e sua saudação é *Ogum, Ogum yê!*

Considerado o Deus do Ferro, é o protetor de todos os que lidam com ferramentas. No entanto, seu simbolismo é muito amplo, podendo ser visto sob o aspecto guerreiro, já que defende seus fiéis com a força de suas armas.

Ogum simboliza o poder masculino, sendo o representante das leis dos homens e das sociedades dos guerreiros. É o destruidor dos inimigos e o protetor da comunidade. Alguns mitos situam Ogum como o Herói Civilizador, como o Inventor da Metalurgia, como aquele que abre os caminhos, tendo Exu sempre a seu lado.

• IANSÃ

• Outros orixás

Além das divindades fundamentais, diversas outras — entre iabás e aborós — são conhecidas e cultuadas no Brasil. Iabá é o nome genérico para designar as "senhoras das águas", que são os orixás de princípio feminino das águas. Os orixás de princípio masculino são chamados de aborós.

Iemanjá: Iabá conhecida como mãe de todos os orixás. Padroeira dos pescadores.

Nanã Buruku: Orixá feminino, mãe de Obaluaiê.

Obá: Orixá feminino considerado a terceira esposa de Xangô.

Obaluaiê: Orixá das doenças e Senhor da terra.

Oiá: Rainha das tempestades e do Rio Níger, também chamada de Iansã, será vista em detalhes mais adiante.

Ossaim: Orixá das folhas medicinais e litúrgicas, é entendido como orixá da medicina. Quinta-feira é seu dia da semana e sua saudação é *Euê-ô!*

Oxóssi: Também conhecido como Odé, é o caçador e protetor dos caçadores, filho de Iemanjá e pai mítico do orixá Logunedê. Seu dia é quinta-feira e sua saudação é *Okê, okê!* O símbolo que o representa é um arco e flecha de ferro, estando entre seus paramentos os *oge*, chifres de touro selvagem. Outro emblema de Oxóssi é o *iruquerê*. Este é uma espécie de cetro feito com pelos de rabo de touro presos a um pedaço de couro duro revestido de couro fino, ornado com contas e cauris, que é distintivo dos altos dignitários dos reinos africanos.

Oxum: Divindade das águas do Rio Oxum na Nigéria. Considerada a segunda esposa de Xangô, foi casada com Ogum e Oxóssi. De seu casamento com Oxóssi nasceu Logunedê. Seus símbolos são o leque dourado e a espada. Tem o título de Ialodê — chefe das mulheres do mercado — e é a rainha de Oxobô e Oió, na África. Seu dia é o sábado e sua saudação é *Oraie iê ô!*

Xangô: Deus do raio e do trovão, filho de Iemanjá e Oranian. Fundador mítico da cidade de Oió. No Brasil é considerado filho de Oxalá. Suas esposas são Oxum, Obá e Iansã/Oiá. Seu símbolo é o machado duplo denominado *oxê*.

• IANSÃ •

QUARTA LEI

Há uma ordem mística que governa o universo.

Conta Mbiti (1982) que a fé nesta ordem mística pode ser demonstrada claramente na prática da medicina tradicional e da magia. Os poderes a que o homem tem acesso se ligam a conhecimentos que só poderão ser usados em determinadas situações e com sérios riscos. Em todas as sociedades africanas sente-se o poder do universo, proveniente de Olorum. Porém, há um poder místico, considerado oculto e misterioso. Este poder está presente nos espíritos e também em certas pessoas. Esses indivíduos têm acesso a certos conhecimentos e possuem condições de ver e se comunicar com o mundo invisível, sendo capazes de fazer coisas extraordinárias e até milagres que nenhuma outra pessoa consegue normalmente realizar.

No Brasil, o uso de ervas e chás caseiros sempre foi uma prática comum, porém poucos têm consciência de suas ligações com a medicina tradicional africana, ciência milenar muito utilizada pelos angolanos e pela maioria dos povos africanos.

Cada orixá tem a sua folha e todas servem para a feitura de "remédios", sendo misteriosas, mágicas, mas Ossaim domina o universo dos vegetais. O conhecimento do babalossaim (sacerdote de Ossaim) a respeito dos vegetais se enquadra nas quatro posições de saber dentro da sociedade, junto com o babalaô (do culto a Ifá), do babalorixá ou ialorixá (do culto aos orixás) e do babaojé (do culto aos ancestrais). Essas pessoas especiais fazem o traço de união entre o mundo visível e o mundo invisível, funcionando como verdadeiros mediadores, como um canal com uma energia vital maior.

Pierre Verger (2000) apresenta um mito envolvendo Iansã (Oiá) e Ossaim, levantado por Lydia Cabrera em Cuba, sobre a repartição das folhas entre os orixás.

Ossaim recebeu o segredo de Ewe (a folha). O conhecimento de suas virtudes. As ervas eram exclusivamente suas e ele não as dava a ninguém, até o dia em que Xangô, queixando-se à sua mulher Oiá, dona dos

· IANSÃ ·

Ventos, de que somente Ossaim conhecia o mistério de cada ewe e de que os demais orixás estavam no mundo sem possuir uma única planta, esta abriu as saias, agitou-as impetuosamente, formando redemoinhos e — fé fé — um vento fortíssimo começou a soprar. Ossaim guardava os segredos de Ewe em uma cabaça dependurada em uma árvore e, ao notar que o vento a desprendera e a quebrara, e que as ervas se dispersavam, cantou:
"Eé egguero, egguero, sáué éreo" mas não pôde impedir que todos os orixás se apoderassem delas e as repartissem entre si. Eles lhes deram nomes e comunicaram uma virtude a cada uma das folhas de que se apropriaram. Ainda que Ossaim seja o dono das folhas (...) cada orixá possui suas folhas na mata.

3 | Culto aos orixás no Brasil

Qualquer estudo sobre os orixás nos remete à cidade de Salvador (Bahia), onde nossos ancestrais africanos permaneceram fiéis a seus antepassados e onde, através de ritos, seus descendentes celebram a vida e perpetuam uma influência cultural importante deixada pelos nagôs, em grande parte, e pelos fons. Os estudos feitos por Pierre Verger sobre as migrações entre África e Brasil, bem como os estudos desenvolvidos por Judith Gleason, Mestre Didi, Juana Elbein dos Santos, Ildásio Tavares, Marco Aurélio Luz e Mãe Stella de Oxóssi, acompanhados pelas referências básicas no Rio de Janeiro de Mestre Agenor Miranda, Muniz Sodré, Mãe Beata de Iemanjá, José Flávio Pessoa de Barros e Gisèle Binon Cossard, possibilitaram uma visão mais precisa sobre Iansã, como é chamada Oiá no Brasil, orixá que vem comandando os meus caminhos desde sempre.

3.1 RELIGIOSIDADE NEGRA EM SALVADOR

Segundo Marco Aurélio Luz (1995), a reconstrução da identidade africana em Salvador caracterizou-se pela ocupação de espaços e pela constituição de instituições africanas adequadas à nova realidade. A divisão sexual do trabalho ocorria tal como na África, sendo que as mulheres dominavam o comércio de rua, devidamente organizadas para tal, e os homens se ocupavam, principalmente, da estiva, de cargas e transportes. Durante o trabalho, homens e mulheres se expressavam com ritmos e cânticos próprios, anunciando pelas ruas sua afirmação existencial. O canto possibilitava ainda o comércio dos mais variados produtos, atraindo a clientela para o que era produzido no local. O canto promovia coesão social, caracterizando-se pela eleição do chefe ou *capitão do canto*.

Manuel Querino, citado por Luz (1995), relata a importância deste cargo, já que, após a morte de um antigo capitão, outro era eleito por aclamação, seguindo o processo de escolha africano. A publicidade e a confirmação do cargo era uma cerimônia em que o capitão era carregado pelos companheiros, num desfile acompanhado do canto e do ritmo específico, que poderia ser jeje, nagô, haussá, grunci etc. O capitão carregava na mão um ramo de folhas e uma garrafa de aguardente, usada para a realização de certos preceitos, quando recebia saudações de capitães de outros cantos, deixando cair algumas gotas na terra para umedecer os caminhos. Informa, ainda, Marco Aurélio Luz (1995) que os cantos mais conhecidos em Salvador, no início do século XIX, eram os dos nagôs, no Mercado e na Rua do Comércio, além do dos haussás, próximo ao Hotel das Nações.

O caráter comunitário dos cantos se repetia nas juntas ou caixas de empréstimos, que visavam criar fundos para pagamento de alforrias. As juntas reproduziam instituições africanas e deram a base econômica necessária para a construção das igrejas das "irmandades de homens de cor". Essa construção se desdobrava num árduo trabalho de mutirão, em geral, noturno.

Eram aproximadamente trinta as irmandades dos homens de cor em Salvador, no século XIX, que tinham diferentes identidades: angola, jeje, nagô etc. Através delas o negro ampliava os espaços sociais e reconstruia uma identidade negro-africana. Comenta Marco Aurélio Luz (1995) que, no início do século XIX, a irmandade de Nossa Senhora da Boa Morte da Barroquinha reunia as mais altas sacerdotisas do culto tradicional nagô, e a da Igreja de Nosso Senhor dos Martírios reunia as lideranças masculinas. Sabe-se que a Irmandade de Nossa Senhora da Boa Morte era liderada por Iyá Nassô, que fora zeladora do culto a Xangô no palácio real de Oió (na Nigéria) e fundara o Ilê Axé Airá Intilê, considerado a primeira casa de culto aos orixás no Brasil.

Além do culto aos orixás, outros segmentos religiosos surgem e se expandem na Bahia, como as sociedades secretas masculinas Egungun, voltadas para o culto dos ancestrais masculinos, e a Ogboni, responsável pela reunião de líderes das comunidades nagôs, além da sociedade feminina Gelede[5], voltada para o culto das *Iyá-mi Agbá*, as mães ancestrais.

Marco Aurelio Luz (1995) analisa, ainda, como os nagôs fizeram a leitura simbólica dos santos católicos e os associaram com o panteão dos orixás. Desta forma, o Senhor do Bonfim, Jesus Cristo, ficou relacionado com Oxalá, o grande orixá, a mais abrangen-

---

[5] Na África, sociedade das mães ancestrais, que dançam com máscaras de madeira para representar seu poder de combater as más influências sobrenaturais que prejudicam a vida do grupo. No Brasil esse costume desapareceu.

te força cósmica do universo, o ar. A localização da Igreja do Bonfim, no alto de uma colina, debruçada sobre o mar, caracteriza-a como a representação do igba-du, a cabaça da criação, que já foi descrita. A conhecida Lavagem do Bonfim simboliza os rituais de limpeza e renovação do peji (altar) de Obatalá.

Da mesma forma, Nossa Senhora da Conceição, representando a imagem de uma mulher com vestes amarelas sobre uma esfera — o mundo — de onde surgem crianças, considerada a mãe do Senhor, foi associada a Oxum, orixá do princípio feminino da existência, protetora dos nascituros.

Santa Bárbara, representada por uma moça com uma espada na mão e vestida de vermelho, considerada uma santa guerreira, foi associada a Iansã, orixá guerreira e rainha dos Egunguns — espíritos ancestrais mantenedores e defensores da tradição. O famoso caruru de Santa Bárbara, feito no Mercado de São Miguel, é um dos festejos relacionados aos orixás, apesar de ser dia do calendário católico. Assim, temos uma reposição cultural negra capaz de responder por uma identidade cultural brasileira, já que uma santa da igreja católica, como Santa Bárbara, pode ser cultuada como Oiá/Iansã, tendo-se, então, um conteúdo católico, mas uma forma litúrgica e mítica negro-africana.

Estas associações foram feitas em todo o país, criando-se casas de culto aos orixás (nagôs), voduns (jejes) e inquices (bantos), bem como mesquitas muçulmanas criadas pelo malês, desenvolvendo-se um verdadeiro processo de sonho de identidade e liberdade nos afrodescendentes.

Durante os séculos XVIII e XIX, vários levantes ocorreram em todo o país, sendo Salvador sacudida por inúmeros movimentos da população negra livre. Para a comunidade negra, independência e fim da escravidão eram uma coisa só. Por outro lado, a repressão aos cultos africanos levou à unificação dos interesses dos afrodescendentes, unindo nagôs, jejes, malês, angolas, crioulos e pardos, união essa que se manifestou em várias insurreições, como a de 1835, conhecida como Revolta dos Malês, até culminar com a abolição da escravatura.

Em função da grande perseguição policial que os cultos de base africana enfrentavam na Bahia, em 1935 a ialorixá Obá Biyi, do Ilê Axé Opô Afonjá, organizou essa casa como Sociedade Beneficente Cruz Santa Axé Opô Afonjá, com bases estruturais e institucionais da tradição nagô, construindo as casas para os espíritos ancestrais (o Ilê Ibó Iku) e para os orixás, e também reconstituindo e adaptando titulações honoríficas das sociedades africanas. Juntamente com o ojé (sacerdote do culto aos Egunguns) Eliseu Martiniano do Bonfim (Ojeladê), Mãe Aninha (a Obá Biyi) criou o famoso corpo dos Obás de Xangô (nome tirado do título dos governantes iorubás), que vão possibilitar uma maior visibilidade do culto aos orixás em todo o país.

3.2 RELIGIOSIDADE NEGRA NO RIO DE JANEIRO

Da mesma forma que a Bahia, o Rio de Janeiro contava com o canto e o ritmo durante as atividades de trabalho dos afrodescendentes. Crônicas do início do século XX falam dos negros islamizados que rezavam em árabe, dos vendedores de ervas, das rezadeiras, dos adivinhos, dos cantadores. Falam, ainda, do contingente baiano que aqui chegou no final do século XIX, atraído pelas oportunidades que a cidade oferecia. Esses migrantes foram viver perto do Cais do Porto, nos bairros de Saúde e Gamboa, onde a moradia era mais barata, e onde já se localizavam outros grupos negros. Formaram uma comunidade conhecida como a *Pequena África*, em que preservavam as manifestações culturais de seus ancestrais. Assim cresceu no Rio o culto aos orixás.

A ialorixá Obá Biyi, uma das que mais visitavam a cidade, foi morar durante um tempo na Pedra do Sal[6], o que marcou profundamente a identidade negra carioca, já que Mãe Aninha fundou o Axé Opô Afonjá

---

[6] Local no bairro da Saúde, junto ao Largo da Prainha, no sopé do Morro da Conceição, onde se instalaram os primeiros migrantes baianos que procuravam trabalho na estiva do Porto do Rio de Janeiro.

do Rio de Janeiro, em Coelho da Rocha, e colocou Tia Agripina, que foi por ela iniciada, como ialorixá da casa. Durante o período em que viveu no Rio de Janeiro, Obá Biyi também iniciou no sacerdócio Mestre Agenor Miranda, considerado um dos mais respeitados babalaôs do país.

A tradição dos orixás, em seus desdobramentos de valores e linguagem, vai aparecer no mundo do samba, já que as atuações de Tia Ciata, Tia Bebiana e Hilário Jovino, todos ligados ao terreiro de João Alabá, marcam as atividades musicais cariocas. João Alabá frequentava o Ilê Axé Opô Afonjá, em Salvador, e Tia Ciata, a Hilária Batista de Almeida, filha de Oxum, foi iniciada em Salvador por Tio Bamboche. Tia Bebiana de Iansã era irmã de Tia Ciata e tornou-se conhecida por seu tabuleiro de doces e acarajés e por sua atuação no carnaval carioca.

As festas na casa de Tia Ciata ficaram famosas na Praça Onze, sendo que no fundo do quintal reinava o samba, com mote e partido alto, riscado nos pés, que era constantemente perseguido pela polícia, enquanto na sala da frente havia o baile, o chá dançante, permitido pelas autoridades.

Na festa da Penha[7], onde a missa era um introito para as comemorações da colônia baiana e da comunidade negra carioca, Tia Ciata e Tia Bebiana pontificavam, com sua esmerada e apreciada culinária afro-baiana. Em torno delas reuniam-se os melhores músicos e compositores negros da época.

O samba chegou ao rádio e aos salões graças a Donga — Ernesto dos Santos —, filho de Tia Amélia Silvana dos Santos. Outras baianas geraram filhos ilustres, como Perciliana Maria Constança, mãe de João da Baiana, e Tia Sadata, da Pedra do Sal, que foi uma das fundadoras do Rancho Carnavalesco Rei do Ouro, com Hilário Jovino Ferreira. Este era ogã (colaborador) do terreiro de João Alabá, que levou os ranchos para as ruas e estimulou o maxixe e o choro, divulgando, com o apoio de Tia Bebiana de

---

[7] Santuário de Nossa Senhora da Penha, no bairro de mesmo nome, um dos maiores centros de romaria do país.

Iansã, nomes, como Pixinguinha, Heitor dos Prazeres e Sinhô.

Assim como em Salvador, onde Mestre Didi fundou em 1935 o tradicional Afoxé Troça Carnavalesca Pae Burokô, que, alguns anos mais tarde, iria desfilar por toda a cidade, servindo de inspiração para os demais afoxês e blocos afro, no Rio de Janeiro, Hilário Jovino inventou o desfile dos ranchos, que tinha o seu ponto alto na Lapinha[8], onde residia Tia Bebiana de Iansã. Ela estimulou esta ocupação de espaços e, junto com Tia Ciata, tornou as baianas figuras indispensáveis nas rodas de samba.

Os ranchos de Carnaval que proliferaram no Rio de Janeiro eram pontos de aglutinação dos baianos recém-chegados à cidade, que se tornavam grandes destaques como figuras de mestre-sala e porta-estan-

---

[8] Tia Bebiana morava no antigo Largo de São Domingos, próximo à atual Avenida Passos, que desapareceu com a abertura da Avenida Presidente Vargas. Ela guardava em casa a Lapinha (o presépio) tradicionalmente visitada pelas folias de Reis e pelos ranchos de Carnaval antes de saírem pelas ruas.

darte, portando os emblemas e as cores dos orixás. Famosos mestres-salas foram iniciados por Hilário Jovino, Getúlio Marinho e Germano, tais como Teodoro, Maria Adamastor, Marinho da Costa Jumbeba etc. Tia Ciata, que era festeira, não deixava de comemorar as festas dos orixás em sua casa, ocasião em que, sempre após a missa cristã, se armava o pagode, tornando a Praça Onze o ponto de referência do samba carioca.

Um nome conhecido por todos os que lidam com carnaval é o de Maria da Conceição Cesar, que ganhou um apelido que a identificou para sempre no carnaval: Maria Adamastor. Esse nome brilhou nas festas carnavalescas do início do século XX (de 1910 em diante), designando a famosa porta-estandarte e mestre-sala dos ranchos, que foi nota de jornais em 1921, com os seguintes dizeres:

(...) Maria Adamastor, a rainha das diretoras de ranchos, assumiu, de verdade, a responsabilidade das pastoras do "Reinado de Siva". O Titinho vai dedicar-lhe uma marcha (...)

• IANSÃ •

O nome de Maria Adamastor é conhecido entre os carnavalescos dos velhos tempos, sendo ela uma verdadeira figura tradicional dos ranchos, comentada por todos pelo brilho e grandiosidade de suas apresentações, bem como por sua capacidade de organização e liderança, tendo todas as características de uma filha de Iansã.

A relação entre a instituição religiosa, seus valores comunitários e a trajetória dos ranchos e escolas de samba foi inevitável. Segundo Rego (1996)

> *inúmeras coreografias do samba são algumas vezes idênticas, outras assemelhadas ao domínio da dança dos orixás. Esta influência de sacralização vai se refletir não apenas no ritmo, mas também na coreografia e na indicação das cores das agremiações de samba que surgem a partir dos anos trinta no Rio de Janeiro.*

O aguerê, forma coreográfica com a qual se expressam Oxóssi e Oiá, é de especial beleza e muito rápida. Oiá dança com grande feminilidade ao enlaçar os braços. Toda a graça do jogo cênico dos braços dessa coreografia é exibida no desfile das escolas de samba por passistas e porta-bandeiras.

Mestre Agenor Miranda Rocha (2000), ao escrever sobre os antigos candomblés do Rio de Janeiro, diz como as primeiras casas de santo se concentravam no centro da cidade, mais precisamente na Rua Barão de São Félix (João Alabá de Omolu), na Rua João Caetano (Cipriano Abedé de Ogum) e na Rua Marquês de Sapucaí (Benzinho Bamboche de Ogum). Conta ainda que as comunidades jejes eram as de Rozena de Bessém, de Domotinha de Oiá e de Natalina de Oxum, todas também no centro da cidade, na Saúde.

Um depoimento de João da Baiana, citado por Agenor Miranda (1994), nos conta que o candomblé acontecia na casa de Tia Ciata após o samba, no mesmo dia, mas em festa separada. Primeiro vinha a parte recreativa e depois a religiosa.

3.3 COMUNIDADES-TERREIROS

As comunidades-terreiros, ou *egbé*, se constituem de bem organizadas instituições com espaço sóciorreligioso-arquitetônico próprio, que se caracteriza por limites, designados por Marco Aurélio Luz (1995) como sendo "da porteira pra dentro e da porteira pra fora". Nelas se estabelecem relações da tradição negro-africana com a tradição do mundo ocidental. Os limites citados caracterizam o âmbito de atuação de poder entre ambos os contextos sociais.

A cultura negra funciona com os princípios masculino e feminino (Odudua e Obatalá) em equilíbrio, não havendo nenhum impedimento de um homem ser de uma energia de princípio feminino, nem uma mulher possuir um orixá de princípio masculino. O papel da mulher, como cabaça que contém e é contida, responsável pela continuidade da vida da comunidade, implica uma dimensão ideológica e política, que se entrelaça com a origem de sua energia cósmica, os orixás, que representam outras dimensões, de ordem psicológica e espiritual.

• IANSÃ •

Analisar Oiá é entender a mulher brasileira atuante, dinâmica, transformadora e politizada. Para saber dos orixás, porém, é preciso entender a dinâmica das comunidades-terreiros onde são cultuados.

3.3.1 COMUNIDADES-TERREIROS DE ORIXÁ

Até o momento, a história oficial utiliza um olhar inferiorizante e castrador, que desconhece as diferenças culturais e o imaginário social do povo, não valorizando as comunidades-terreiros, reduzindo todas a uma só perspectiva e a uma só verdade.

As casas de culto ou comunidades-terreiros de orixás se constituem em verdadeiros centros de resistência, de organização e de celebração da vida. Nelas, pela mão de mães e filhas de santo, tem-se conservado a tradição cultural e espiritual dos negros no Brasil. São ainda responsáveis pela manutenção da linhagem e representantes da força de vida (axé).

Nestas comunidades, mulheres enérgicas, descendentes de escravos, reconstruíram um *templo mítico* e um *espaço sagrado* de essência africana. São elas as iyás (mães de santo), que recriaram um novo lugar para a sua família e para a comunidade, com suas filhas e filhos de santo: as casas de candomblé.

Os diversos cultos afro-brasileiros propiciam uma síntese do vasto panteão dos orixás africanos, além de uma relação entre mito e religião cristã, que mostra a troca entre brancos, negros e outras etnias. Dentro da sociedade brasileira, as comunidades-terreiros passaram a possuir sua própria tradição, seu regime alimentar, suas formas de acumulação de riqueza e sua ética.

Para uma comunidade nagô, as relações dos homens com os orixás, entre si, com os animais, com o princípio feminino ou masculino é sempre na dimensão de luta (ijá), como afirma Muniz Sodré (1983), já que as coisas só existem pelo poder que possuímos de lutar com elas e pelo mistério (awô). Tal relação é simbolizada por Exu, orixá responsável pela dinâmica de todas as coisas, sendo conhecido como Pai da Luta. O que entra em jogo não é a violência ou a força das armas usadas, mas sim as artimanhas, a astúcia, a coragem, enfim, o *poder de realização* ou axé envolvido.

A pessoa de maior axé na comunidade é a mãe de santo — a ialorixá —, ou o pai de santo — o babalorixá. Quem está se iniciando, tendo um bori (ritual de dar comida para a cabeça) ou uma conta lavada (um fio de contas, colar ritual) é um *abiã* (*abiyan*), um pré-iniciado. O abiã vive um período de experiência, refletindo sobre suas responsabilidades como filho de santo, verificando como se adapta ao ilê e à ialorixá. Após a fase inicial de abiã, no período em que fica em ritual de reclusão iniciática no terreiro, o noviço é chamado de *iaô* (palavra iorubá que quer dizer "esposa"). Além dos deveres de filho de santo assentado, o iaô é responsável por outros deveres mais complexos. Ele deve saber tudo a respeito da vida do terreiro: o ciclo das festas, as obrigações dos irmãos mais velhos, o bori, a entrada de iaô, o axexê... Ele tem de aprender a dançar, cantar, responder aos cânticos, comportar-se com dignidade, consideração, simpatia. As tarefas mais singelas também lhe estão destinadas, como a faxina, o trabalho de cozinha e a manutenção do parque ecológico da roça, devendo ainda, aprender a se vestir adequadamente, com boa aparência e sem afetação.

Após o tempo de abiã, que pode durar a vida toda, um longo ou curto período, temos os *iniciados* ou *adoxu*. São pessoas de muita responsabilidade, deveres e direitos; são os sacerdotes do orixá, que passam por um processo iniciático de sete anos completos. Com três anos de iniciado é preciso fazer uma obrigação, e aos sete anos é feita a obrigação mais importante. Após a obrigação de sete anos, a pessoa passa a ser chamada de ebomi (*egbon*, irmão mais velho) e pode receber o *deká*, que consiste em uma cesta com substâncias e utensílios que representa a autorização para iniciar pessoas na religião. As *ojubona* são egbons designadas para cuidar dos iaôs no quarto de axé.

· IANSÃ ·

Um dos espaços do terreiro é o *espaço urbano*, onde ficam as edificações de uso público e privado, tais como o barracão dos rituais públicos, as casas dos orixás ("casa de santo"), os quartos destinados à reclusão das iaôs (denominados roncó ou runcó), a cozinha ritual e o conjunto de habitações permanentes ou temporárias dos iniciados que fazem parte do terreiro.

Nas casas de santo são guardados os assentamentos, elementos da natureza (pedra, árvore, búzios etc.), colocados em recipientes próprios, de louça, barro ou madeira, e que, após serem consagrados pela ialorixá ou pelo babalorixá, representam a força dinâmica de uma divindade.

Entre as construções, no limite do *espaço mato* (o espaço reservado às árvores sagradas e às plantas utilizadas nos rituais), encontra-se a casa onde são adorados os mortos e onde se encontram seus lugares consagrados ou assentos. É o *Ilê-Ibo-Aku*, local de onde ninguém da comunidade-terreiro de orixá pode se aproximar.

IANSÃ

Os que frequentam as comunidades-terreiros aprendem a cantar corretamente, dançar bem e pronunciar com precisão as diferentes saudações dirigidas aos mais velhos e aos orixás. A transmissão do saber passa dos mais velhos para os mais novos, quando aqueles reconhecem no iniciado condições para tal. O conhecimento é adquirido com o tempo, como dizem os mais velhos. A *palavra* ocupa um lugar especial, já que a ela é atribuído o poder de animar a vida e dar movimento ao axé contido na natureza.

O *som*, da mesma forma que a palavra, é importante, já que conduz e propicia o axé. Acompanhado ou não de instrumentos musicais, tem uma força especial que fica cuidadosamente guardada na memória. O significado original de cada palavra em iorubá foi perdido pela ausência da interligação prática da língua no dia a dia. Persiste, porém, o sentido do canto na mente e na consciência dos iniciados. Estes enunciados orais entoados possuem variadas formas de apresentação, que correspondem às finalidades durante o ritual:

- orikis — evocações;
- orin — cantos de louvação;
- adura — preces;
- iba — saudações;
- ofo — encantamentos das espécies vegetais.

As comunidades-terreiros desenvolvem diversos tipos de culto, ligados à religião tradicional africana: o culto às folhas (ligado a Ossaim), o culto aos ancestrais (culto de Egungun), o culto a Ifá e o culto aos orixás.

3.3.2 CULTO ÀS FOLHAS

As folhas possuem um poder sobrenatural e se constituem em elementos indispensáveis a quaisquer atividades dos cultos, havendo mesmo uma expressão em iorubá que traduz bem tal obrigatoriedade: *Kò si ewé Kò sí òrìsà* (sem folha não há orixá).

As plantas apresentam em sua composição química substâncias capazes de provocar aborto, causar graves quadros de intoxicação e até mesmo matar. Estes dados exigem reflexão quanto ao seu uso. Por outro lado, desempenham seu papel ao lado de outros elementos que compõem o ritual, como atabaques, dança, canto, palmas etc.

As folhas estão no *espaço mato* das comunidades-terreiros. Cada folha tem propriedades particulares, sendo que, misturadas, segundo Barros (1993), podem produzir preparações para diferentes usos, sejam mágicos ou medicinais. O orixá Ossaim é o responsável pelas folhas e por seu preparo, apesar de existirem outros orixás habitantes do espaço mato, como Aroni, Ogum e Oxóssi.

Destaca ainda Barros (1993) que as folhas estão ligadas a seus genitores míticos, sendo que sua utilização reforça este ou aquele aspecto feminino e/ou masculino, restabelecendo a ligação complementar terra/água. Logo, pode-se concluir que as folhas veiculam o seu axé e ativam a potencialidade do elemento ao qual o orixá está ligado, mantendo sua relação com as divindades femininas ou masculinas, podendo ser positivas ou negativas, sendo importante saber juntá-las para se obter a combinação adequada.

Cabe ressaltar que a relação básica masculino-feminino está presente nos rituais e no uso de folhas, já que os vegetais são a matéria básica que participa da feitura de santo, que é a reconstrução do que está dito nos mitos. As oferendas fazem a ligação entre os habitantes do mundo visível (*ará aiyé*) e os habitantes do mundo invisível (*ará orum*).

As folhas, que nascem nas árvores e nas plantas, se constituem numa emanação direta do poder sobrenatural da terra, que foi fertilizada pela chuva. Esse poder dá a cada folha virtudes que lhes são próprias, fazendo com que, misturadas a outras, se tornem preparados medicinais ou mágicos, de muita importância nos cultos.

Conta Santos (1977) que as folhas, da mesma forma que as escamas e as penas, simbolizam o procriado, aquele elemento resultante da interação de outros, o que traz em si o poder do que nasce, do que vai ser. Elas trazem o "sangue preto", o axé do que está oculto, mobilizando qualquer ação ou rito. Por isso, Ossaim é representado pelo verde, que é uma qualidade do preto. Oiá, única orixá-filha entre os orixás femininos da esquerda, associada à floresta, aos animais e aos espíritos que nela vivem, tem como símbolos o iruquerê e os chifres de touro, usados também por Oxóssi, orixá das matas.

As divindades do panteão dos orixás se estruturam a partir dos quatro elementos — água, ar, terra e fogo —, que se relacionam e se mesclam. Por analogia do sistema, os vegetais também estão dispostos em quatro grupos diretamente ligados aos quatro elementos:

- ewe afééfé – folhas de ar (vento);
- ewe inón – folhas de fogo;
- ewe omi – folhas de água;
- ewe ilé ou igbó – folhas da terra ou da floresta.

IANSÃ

A água, por ser essencialmente feminina, representa todas as iabás, bem como as espécies vegetais que possuem umidade e frescor. Oxalá, ser frio, criador e sereno, é o elemento masculino complementar da água, fazendo a relação básica masculino-feminino, mantendo o equilíbrio.

Para Verger (1968) é muito importante o papel das plantas litúrgicas entre os iorubás. Ele as divide em duas categorias: *igègùn orixá* e *èrò orixá*, servindo a primeira para "excitar" os orixás e a segunda para "acalmar" os orixás. No Brasil, entretanto, estas categorias aparecem com os nomes de "positivas" e "negativas", servindo como medida para o estabelecimento do equilíbrio das preparações, podendo mesmo acontecer algum problema se elas não forem bem casadas.

O amaci — banho destinado a induzir bem-estar — tem que contar com grande equilíbrio, paridade e complementaridade, buscando a combinação exata dos pares macho fêmea e agitação calma, já que através de sua ação se reconduz à ordem, ao equilíbrio.

A palavra ocupa um espaço significativo no culto às folhas, já que transmite axé. Os textos falados ou cantados, bem como gestos, expressão corporal e objetos-símbolo, transmitem uma série de significados indicados pelo ritual que reproduzem a memória e a dinâmica do grupo, reforçando e integrando valores básicos.

3.3.3 CULTO AOS ANCESTRAIS: COMUNIDADES-TERREIROS DE EGUNGUN

As comunidades-terreiros de candomblé cultuam os orixás associados às forças da natureza. Já as comunidades-terreiros de culto de Egungun reverenciam os ancestrais, chefes de clãs ou líderes que se destacaram por atos excepcionais durante suas vidas, havendo uma separação rigorosa na realização desses cultos, já que cada um tem doutrina e liturgia próprias.

Egungun ou Babá simboliza conceitos morais e representa o mistério da transformação de um ser-

· IANSÃ ·

deste-mundo (vivo) em um ser-do-além (morto). Oiá Balé, entidade feminina conhecida como Iansã Balé, é considerada rainha e mãe dos eguns, já que comanda o mundo dos mortos. Os Egunguns, filhos de Oiá, são cultuados em terreiros especialmente a eles destinados. Seus sacerdotes chamam-se babaojés (ou apenas *ojés*). O sacerdote supremo do culto aos ancestrais é o *alapini*.

O culto dos Eguns, no Brasil, remonta ao início do século XIX, sendo um dos mais antigos terreiros o Ilê Agboulá, em Ponta de Areia, Ilha de Itaparica, Salvador.

São poucos hoje os terreiros de Babá-Egum em todo o país. Mestre Didi — Deoscóredes Maximiliano dos Santos —, alapini do Ilê Axipá, em Salvador, Bahia, fez sua iniciação como ojé (sacerdote de egum), no Ilê Agboulá. No Rio de Janeiro, provenientes da ilha de Itaparica, ligados ao culto dos ancestrais, temos os sacerdotes Ojé Laercio, em Villar dos Teles, e Ojé Braga em Caxias.

3.3.4 CULTO A IFÁ

Nas comunidades-terreiros, seja de orixá ou de egum, nada se faz sem a consulta ao oráculo de Ifá, sem o jogo feito pelo oluô, o pai do mistério. Segundo Mestre Agenor Miranda da Rocha (1994), Ifá é o orixá da adivinhação e para tudo deve ser consultado. Dois tipos de jogos podem ser feitos: o opelê Ifá e o jogo de búzios.

O búzio conhecido como *cauri* é uma pequena concha de forma oval, branco-amarelada, com uma fenda natural de um lado. No búzio destinado ao jogo, o fundo arredondado oposto à fenda é serrado para dar à concha uma base plana, aberta. Os cauris são indispensáveis nos jogos divinatórios, servem como enfeites e são também parte importante dos assentamentos.

Os sacerdotes encarregados do culto a Ifá são chamados babalaôs (*babalawo*, pai do segredo). No Brasil, esses adivinhos são chamados também de oluôs (*oluwo*, o que vê o segredo) e dominam a técnica de consulta ao oráculo de búzios. No jogo de

· IANSÃ ·

búzios, feito pelos sacerdotes com dezesseis cauris, quem fala é Exu. A consulta a Ifá, segundo a tradição, é atividade unicamente masculina, apesar de algumas mulheres se aventurarem em sua prática.

O jogo de búzios conta a experiência acumulada pela comunidade, mostrando a sabedoria necessária para lidar com problemas que vem se repetindo na história da humanidade. A função de Ifá é dar resposta às necessidades dos indivíduos a fim de restaurar e manter harmonicamente a vida. Esta resposta é dada simbolicamente através dos odus de Ifá, que são os depositários das tradições dos orixás.

Cada uma das 256 configurações do oráculo de Ifá (os odus) possui textos orais sagrados, que são memorizados pelo oluô. Certas configurações indicam um orixá específico. Dentre os segredos conhecidos pelo babalaô se situam as comidas apreciadas pelos orixás e suas proibições. O orixá também fala por meio de certos canais de Ifá. Oiá, por exemplo, fala pelos odus: *Òdi Òbàrà*, *Òbàrà Òsá*, *Òsá Ogundá*, *Ìreté Ogundá*, *Òtúrá Ogbè* e *Òfún Òsá*.

3.3.5 CULTO AOS ORIXÁS

Os rituais para cultuar os orixás são variados. Os que participam dos rituais não precisam conhecer o iorubá, já que a língua litúrgica é exclusivamente utilizada nos rituais, pirncipalmente nos cânticos e nas preces. As denominações dadas a insígnias, objetos sagrados e louvações, além de um vocabulário profano reduzido, são aprendidas na atividade cotidiana do terreiro, circulando como um código do grupo.

O *padê* é o rito que inicia as cerimônias de candomblé feito em homenagem a Exu. O seu não cumprimento é visto como perturbação total da ordem.

O *xirê* é o conjunto de danças cerimoniais em que aparecem os diferentes ritmos, cânticos e coreografias dos orixás. No xirê as pessoas encarregadas do culto prestam suas homenagens a seus orixás, decidindo como a casa será ornamentada, que comida será servida, quem serão os convidados, que roupas serão usadas etc., após consulta ao oráculo de Ifá e à ialorixá.

• IANSÃ •

Um elemento essencial dos rituais é a orquestra que executa os toques dos orixás. Seus componentes principais são:
- agogô — instrumento composto de duas campânulas de tamanhos diferentes, geralmente de ferro, percutidas com uma haste de metal;
- atabaques — três tambores que fazem os registros grave, médio e agudo, chamados respectivamente de rum, rumpi e lê;
- batá — tambor pequeno, cônico, pendurado no pescoço do percussionista, tem couro nas duas extremidades, utilizado nos toques de Xangô, Oiá e Egungun.

Durante o xirê, o ritmo dos atabaques chama os orixás e dá início a um conjunto de danças e cânticos que encenam histórias e relembram feitos, transformando o barracão num verdadeiro palco onde são revividos os mitos que caracterizam os orixás. Oxóssi e Oiá dançam o aguerê. Korin-ewe, ritmo cujo nome significa *cântico das folhas*, é conhecido também como o aguerê de Ossaim.

• IANSÃ •

A maioria dos orixás que sobreviveram na Bahia e no Brasil carregam um símbolo dinâmico que denota sua função guerreira: Exu leva o tridente. Iansã leva o alfange. Oxumarê, lança e serpente. Obá leva espada. Ossaim responde pela medicina, pelas ervas, mas também pelos venenosos vegetais com que os negros se faziam temer.

Fala-se que os filhos de santo, pouco a pouco, adquirem muitas características dos orixás. Assim, identificar algumas características de Oiá é mergulhar um pouco para dentro de cada um de nós, seus filhos, e participar efetivamente da comunidade a que pertencemos.

4 | Iansã, rainha dos ventos e das tempestades

Oiá é o nome usado na Nigéria para Iansã, a deusa a quem é dedicado o Rio Níger, que é conhecido como *Odo Oiá*, o rio de Oiá. O-ya significa *ela rasgou* em iorubá, que nos dá uma ideia de vento desastroso em sua passagem. Iansã é cultuada como Abesan ou Avesan na cidade de Porto Novo, na República do Benin.

Associada com a água e a chuva, é considerada filha de Oxum. Está ligada à floresta, aos animais e

· IANSÃ ·

aos espíritos que a povoam, evocando a ideia de perigo mortal para o caçador. Segundo os mitos, Oiá assume a forma de um búfalo africano que vive em charcos lamacentos. No Novo Mundo, só *chifres* são encontrados nos seus altares, não havendo menção à forma de búfalo.

No Brasil, a orixá é mais conhecida como Iansã. É ligada ao elemento ar e de princípio feminino. É também associada ao ar em movimento, o vento. Segundo Pierre Verger (2000), seu mensageiro é Afefe, o vento.

O aspecto dinâmico de Iansã é o fogo que traz poder. Liga-se particularmente às tempestades, aos raios e trovões, já que ar mais movimento é igual a fogo. Conta Ildásio Tavares (2000) que Iansã é a esposa mais fogosa de Xangô, uma *efufulelé* — concebida como o vento —, a que alimenta o fogo (Xangô), numa relação de total cumplicidade, já que o fogo não se propaga sem o vento.

Seu dia da semana é quarta-feira e sua saudação é: *Eparrei!* Suas quizilas são o carneiro e a corça. Sua cor é o vermelho-sangue, segundo a tradição nagô. Na nação keto sua cor é o chamado vermelho-caboclo, um vermelho puxado para o marrom, aproximado do vinho. Seus objetos são feitos de cobre. Dança com um alfange (pequena espada) na mão direita e, na mão esquerda com um *eruexim* — espanta-moscas feito de crina de cavalo, semelhante ao iruquerê de Oxóssi. Duas correntes de cobre prendem à sua cintura os *arôs* — pequenos chifres de boi ou búfalo, polidos e ornamentados, com metal nas extremidades. Presos à sua coroa, bordada com pedrarias, pendem fios de pequenas contas de tons avermelhados que lhe cobrem o rosto.

Para Santos (1977), as sacerdotisas de Iansã — as *oloyá* — têm vestimentas, paramentos e contas do colar vermelhos como o sangue que circula nas veias, sendo a representação do axé da realização, que tudo move e individualiza. Somente o camisu[9]

---

[9] Roupa utilizada pelas iniciadas: blusa, normalmente branca, de mangas curtas, retas ou fofas, com decote oval, rendado.

é branco. A saia e o pano da costa são cor de terracota.

Iansã é tida como irascível e temperamental, e se caracteriza pelo *movimento*. Sua dança é apaixonante pelos movimentos rápidos e graciosos que executa. A dança característica é o *ilu*, ritmo contagiante, também chamado de quebra-pratos, que ela dança com as mãos nas cadeiras, nádegas empinadas, em giro atrevido. Ao cessarem os toques, Oiá abraça todos os músicos da orquestra ritual e dá um grito melodioso, despedindo-se dos presentes.

Iansã fala o que pensa, sendo elemento purificador nas situações de tensão. Ela limpa a atmosfera das distorções existentes. É a deusa dos limites, da interação dinâmica entre as superfícies, conseguindo a transformação de um estado de ser para outro. Por ser vento, Iansã não se restringe à casa, já que precisa de espaços abertos para viver. Transita também pelos espaços livres, sendo tanto da casa como da rua.

Iansã tem também uma vida amorosa intensa, em que desponta como figura relevante Ogum, de quem foi esposa no reino de Irê, com o nome de Oiá Onirá. Os mitos a dão também como a mulher preferida de Xangô, de quem é considerada o aspecto feminino. Iansã reina soberana com Xangô, comandando as tempestades. Contam os mitos que, por haver ingerido a comida de Xangô, Iansã consegue o seu segredo e torna-se, a partir de então, sua leal companheira.

A interação de Iansã com Xangô se revela também por Iansã ser representada pelo relâmpago, e Xangô, pelo trovão, sendo que desta interação se desprende um corpo, *edùn-àrá*, chamado de *pedra do raio*, considerado a representação do corpo de Xangô. Segundo Santos (1977), os edùn-àrá são machados de pedra neolíticos desencavados, que se considera terem sido jogados do céu por Xangô.

É ainda Santos (1977) quem registra o casal Oiá-Xangô representando os aspectos masculino e feminino do vermelho individualizado, do vermelho descendência, no aiyê e no orum. Enquanto Iansã se relaciona com a floresta e a terra, sendo totalmente vermelha,

Xangô se relaciona com a terra e a árvore, que é matéria individualizada de Oxalá. Assim, o colar que o representa é formado de contas vermelhas alternadas com contas brancas, enquanto o colar de Iansã é todo de contas vermelhas. O colar das oloyá é feito de contas especiais, conhecidas como *mònjolò*, e tem uma conta-signo amarelo-ouro, que mostra a relação simbólica com Oxum.

O número nove rege tudo o que diz respeito a Iansã. Pierre Verger (2000) conta que em Lokoro, nas proximidades de Porto Novo, na República do Benin, existe um templo de Iansã que contém sua imagem com oito cabeças em torno da cabeça central. Nove é o número simbólico dos afluentes do Rio Niger.

O nome Iansã é uma contração de *Ya-mesan-orum*, mãe dos nove oruns, que se constituem nos nove espaços paralelos ao *aiyê* — o espaço visível. O *orum* é o espaço invisível, onde habitam os orixás e os eguns. São nove os oruns que ela governa, são nove os eguns que criou e são nove os tipos ou

• IANSÃ •

qualidades de Iansã que existem. Por ser vento, ela é sempre dinâmica. Porém, os tipos de Iansã se distribuem dos mais ativos até os menos ativos, sendo o mais agitado de todos Oiá Niké (Iansã menina). Segundo Tavares (2000), ainda temos Oyá Tawedê, Oyá Topé, Oyá Oriri, Oyá Akará, Oyá Padá, Oyá Balé, Oyá Onirá e Oyá Ijebé (a que veste branco).

Iansã tem papel importante junto aos cultos dos mortos e nos funerais tradicionais, sendo sempre reconhecida por quem partilha segredos de vida e morte. Seu culto está ligado aos ancestrais, sendo considerada a mãe de egum. É o único orixá que participa da cerimônia fúnebre do axexê[10] e a única mulher a entrar no *Ilê ibó aku* (casa dos mortos). Como mãe dos nove oruns, Iansã conduz os espíritos de um mundo para o outro, sendo, assim, um orixá ligado ao trânsito da vida para a morte. Para Gleason (1999), Oiá Balé, relacionada a Egungun, tem

---

[10] Ritual funerário de separação e desprendimento dos indivíduos falecidos, pertencentes a uma casa de santo.

seu nome derivado de *igbale*, local sagrado onde o morto, sob a forma de mascarado, se materializa antes de sair para se mostrar em público.

4.1 OFERENDAS E FOLHAS

Todas as oferendas para Iansã, que é ar, precisam, no entanto, de *água*, já que esta é essencialmente feminina, pertencente a todas as iabás (mães anciãs, senhoras das águas). Afirma Santos (1977) que "o omi, a água, é a oferenda por excelência, que veicula e representa, ao mesmo tempo, a água — sêmen — e a água contida — sangue, branco, feminino —; ela fertiliza, apazigua e torna propício; nenhuma oferenda ou invocação poderá ser efetuada sem água."

As oferendas feitas para Iansã na Nigéria consistem de cabras (ake eran), inhame, uma espécie de sopa de legumes (isapa), sementes de melão (*egusi*), milho (*egbo*), obi, vinho de palmeira (*pito*) e outras bebidas. Seus interditos são carneiro (*agutan*) e fumar cachimbo.

• IANSÃ •

Segundo Barros (1993), as folhas de Iansã — folhas do ar (*ewé afééfé*) — abrangem, também, todas as espécies vegetais pertencentes a Xangô, que são as *ewé inon* (folhas do fogo). O autor apresenta as espécies vegetais utilizadas com o elemento ar. São as folhas usadas com Iansã.

FOLHAS DE IANSÃ

Nome iorubá	Nome científico	Nome popular
Àférè	*Trema micrantha*, Cannabaceae	Crindeúva
Àgbólà	*Senna obtusifolia*, Fabaceae Caesalpinioideae	Mata-pasto
Ápéjè	*Mimosa pudica*, Fabaceae Mimosoideae	Sensitiva
Àmunímuyé	*Centratherum punctatum*, Asteraceae	Balainho-de-velho
Dankò	*Bambusa vulgaris*, Poaceae Bambusioideae	Bambu
Èkelèyí	*Mirabilis jalapa*, Nyctaginaceae	Bonina
Èso feleje	*Datura metel*, Solanaceae	Trombeta

Ewé firiri	*Olyra fasciculata*, Poaceae Bambusiodeae	Taquaril
Ewé mésàn	*Melia azedarach*, Meliaceae	Para-raio
Ewé oya	*Casuarina equisetifolia*, Casuarinaceae	Casuarina
Idá oya	*Tradescantia spathacea*, Commelinaceae	Espada-de-iansã
Kankìnse	*Passiflora quadrangularis*, Passifloraceae	Maracujá-caiano
Olóbòtujè pupa	*Jatropha gossypifolia*, Euphorbiaceae	Pinhão roxo
Olóbòtujè funfun	*Jatropha curcas*, Euphorbiaceae	Pinhão branco

Mariwo é a folha de palmeira desfiada que protege os locais sagrados. Refere-se aos membros iniciados do Egungun, que protegem o secreto. É um dos símbolos sagrados de Oiá.

4.2 MITOS DE IANSÃ

Saber um pouco mais sobre este orixá tão peculiar é conhecer seus mitos e histórias, seguindo a tradição afrodescendente, que promove a iniciação de seus filhos através de cantigas, danças, rituais e histórias.

O *mito* é o discurso em que se fundamentam todas as justificativas da ordem e da contraordem social negra. Está intimamente ligado ao universo do simbólico, que representa a ordem ou a organização do meio que circunda o homem desde o momento em que nasce, indo além de sua morte. São indicadores de caminhos e meios para a aquisição, a transformação ou a transferência de axé. Revelam meios e modos de lidar com a diversidade humana, mostrando a possibilidade de equilíbrio entre princípios masculino e feminino, bom e mau, certo e errado, evidenciando que entre o *sim* e o *não* há muitos *talvez*.

Na ideologia jeje-nagô, o equilíbrio e a paridade são constantes, encontrando-se sua expressão máxima no sistema de Ifá, cujos dezesseis sinais (odus) correspondem aos quatro ponto cardeais, vistos dois a dois, como pares de "machos e fêmeas". Esses sinais são concebidos como tendo "nascido" aos pares, da mesma forma como nasceram os dezesseis orixás originais.

Os mais velhos nos contam que as pessoas que são partículas da energia de Iansã são muito vivas, irrequietas, tendo prazer de exercer uma profissão, apesar de serem ótimas administradoras do lar. São, também, pessoas generosas, que se preocupam em serem mais doadoras do que receptoras. São também guerreiras e perfeccionistas.

Contam os mais velhos que Iansã reunia as mulheres ao pé de uma árvore e trazia um macaco amestrado que seguia todas as suas ordens, assustando os homens, que fugiam apavorados. Isto continuou ocorrendo até que Ogum fez um ebó e se vestiu com uma roupa especial, usando um chapéu e uma espada, aparecendo de forma assustadora na frente das mulheres, pondo todas a correr, com Iansã na frente. A partir de então, os homens retomaram o poder, dominando o culto dos eguns, proibindo as mulheres de participarem, com exceção de Iansã, rainha e fundadora da sociedade secreta dos eguns. Verificamos assim como Iansã conseguiu o poder dos homens (poder político) ao se apropriar do culto dos eguns.

Sua liderança junto às mulheres do mercado das comunidades iorubanas, bem como sua capacidade de conduzir negócios e lidar com autoridades civis, a situa como representante da liderança feminina. Afirma Gleason (1999) que na África é comentada a feminilidade, a imaginação fértil e a versatilidade das mulheres de Oiá.

IANSÃ E XANGÔ

Segundo Verger (2000), para os habitantes de Ibadan, Iansã é a única mulher legítima de Xangô. Iansã era uma caçadora poderosa e muito hábil, que exercia seu ofício com incrível competência. Caçava todos os animais selvagens da mata, os leopardos, antílopes e elefantes. Iansã tinha um irmão mais jovem que a acompanhava em todas as caçadas. Depois que

Xangô a desposou e, em seguida, enforcou-se, Iansã metamorfoseou-se no Rio Níger.

Nos mitos relacionados ao fogo, a presença de Iansã é constante, como emissária e portadora deste poder ou dividindo com Xangô, seu real esposo, a liderança. Em um desses mitos é Iansã quem vai apanhar em terras baribás o fogo que Xangô pretendia utilizar para impor sua autoridade. Seu destemor é tão grande que prova antes de Xangô o preparado mágico que iria dar a ele o poder de colocar fogo pela boca, podendo assim, desfrutar deste privilégio.

Outro mito relacionado a Xangô explica como Iansã se tornou mãe de todos os eguns (espírito dos mortos). Iansã teve nove filhos com Xangô, sendo que os oito primeiros eram mudos. Iansã foi consultar um babalaô que lhe prescreveu sacrifícios e oferendas. Nasceu então Egum ou Egungun, que não era mudo, mas que só podia falar com voz inumana.

Conta Ogbebara (1998) outra versão do mito dos filhos de Xangô com Iansã:

IANSÃ

Xangô consulta Orunmilá para ter filhos e este o aconselha a casar com Obá e com Iansã, dizendo que só conseguirá tal intento se possuir violentamente Iansã. Xangô argumenta que Obá é feia e Iansã é mulher de Ogum, mas que aceitará a orientação de Orunmilá, se este lhe der Oxum como mulher. Orunmilá argumenta que Oxum é sua mulher e que é apaixonado por ela, mas como não tinha o direito de exigir o sacrifício de qualquer pessoa se não estivesse, também, disposto a fazer seu próprio sacrifício, concordou, dizendo apenas que, após conquistar as outras mulheres, poderia pegá-la. Xangô conquista Obá dizendo palavras de amor, envolvendo-a carinhosamente. Assim a leva para seu reino e parte em seguida para raptar Iansã em Irê, terra de Ogum. Ogum gostava da guerra e de conquistar terras e reinos. Quando não estava em combate, dedicava-se à arte da metalurgia, forjando armas e ferramentas que inventava e aperfeiçoava. Sua mulher, Iansã, estava sempre ao seu lado, junto à forja, contribuindo com sua incandescência, atiçando as brasas que tornavam maleável o ferro trabalho por Ogum. O casal só tinha problemas por não ter filhos.

Xangô, conhecendo o gênio de Ogum, deixa suas tropas acampadas longe, para não dar à sua visita um caráter de exibição de poder bélico. Aproxima-se da oficina quando Ogum se afasta e cumprimenta Iansã:

— Eparrei Oiá! Onde está Ogum, teu marido?

— Salve, Xangô! Meu marido foi ao depósito pegar material para fazer alguns punhais. Queres água? — perguntou Iansã.

— Se não for incômodo — respondeu Xangô.

Xangô acompanhou como o olhar o passeio de Iansã até o poço, pensando como seria agradável a sua missão e pensando que só precisaria usar de violência na primeira vez. E que depois a compensaria com toda a sua gentileza.

Ogum se aproxima e cumprimenta Xangô, que o saúda: "Ogum que, tendo água em casa, lava-se com sangue. Os prazeres de Ogum são os combates e as lutas. Ogum come cachorro e bebe vinho de palma. Ogum, o violento guerreiro,

· IANSÃ ·

O homem louco com músculos de aço,
O terrível Ebora que morde a si próprio sem piedade.
Ogum come vermes sem vomitar.
Ogum corta qualquer um em pedaços mais ou menos grandes.
Ogum que usa um chapéu coberto de sangue.
Ogum, tu és o medo na floresta e o temor dos caçadores.
Ele mata o marido no fogo e a mulher no fogareiro.
Ele mata o ladrão e o proprietário da coisa roubada.
Ele mata o proprietário da coisa roubada e aquele que critica esta ação.
Ele mata aquele que vende um saco de palha e aquele que o compra."

Assim Xangô falou, deixando Ogum se sentir muito poderoso, enquanto ele olhava os seios de Iansã que lhe servia água. Iansã notou os olhares de Xangô mas, apesar de não ser mais feliz com Ogum, nutria por ele grande respeito. Ogum convida Xangô para pernoitar em sua casa, o que foi imediatamente aceito. Ogum, então, manda que Iansã vá na frente para as-

sar o melhor carneiro para o amigo. Xangô pede para acompanhar Iansã na escolha do animal no rebanho, pois queria conhecer os pastos de Ogum. Esta era a chance esperada por Xangô. Assim que fica a sós com Iansã, certificando-se de que não havia ninguém por perto, golpeia a cabeça da iabá, retira as suas roupas e a possui covarde e violentamente.

Após o ato, aguardou que Iansã recuperasse os sentidos e informou-a do ocorrido, dizendo que ela será mãe e que ele vai levá-la para Oió e transformá-la em sua esposa, segundo as ordens de Orunmilá. Pediu, então, que se amassem com carinho, o que Iansã faz, de livre e espontânea vontade, tendo como testemunha um velho carneiro de chifres enrolados.

À noite, o jantar transcorreu sem grandes novidades. Na manhã seguinte, Xangô parte e promete voltar em breve para pegar Iansã.

As semanas se passam e Iansã sente todos os sintomas da gravidez, enjoando muito. Ao tomar conhecimento da gravidez da mulher, Ogum, pensando ser o pai, fica exultante e resolve escolher um carneiro para

· IANSÃ ·

a comemoração. Depois de muito escolher, resolveu levar o mesmo animal que havia assistido ao amor de Iansã e Xangô. Ao sentir a proximidade da morte, o animal chora copiosamente e fala para Ogum que a criança que Iansã carrega é de Xangô, contando tudo que havia assistido naquela tarde. Tomado de fúria, Ogum decepa com um só golpe a cabeça do delator. Irado, vai para os aposentos da mulher que, avisada por Exu, se põe em fuga para Oió. Embora soubesse da determinação de Oiá em deixá-lo para viver com Xangô, Ogum se considera traído porque Iansã se entregou prazerosamente ao agressor e sai em sua perseguição. Como Iansã é a Senhora dos Ventos, não pode ser alcançada por ninguém. Assim, os planos de Orumilá iam sendo cumpridos.

Dias depois da chegada de Iansã a Oió, Xangô providenciou as núpcias, o que alegrou a todos, menos a Obá, que se mordia de ciúmes. As duas mulheres se engalfinhavam longe de Xangô, mas se tratavam como irmãs em sua frente. Xangô cobra Oxum de Orunmila, alegando ter feito tudo o que dissera. Orun-

mila manda dizer por Exu, que Oxum lhe será entregue e que ele vai sair pelo mundo em busca de seu próprio destino. Irá sem rumo, sem direção, ensinando aos homens os segredos de Ifá. Leva apenas o seu saber para compartilhá-lo com os homens que considere dignos. Exu comunicou a Oxum as ordens de Orunmilá, que foi feliz para o palácio de Xangô.

Judith Gleason (1999) comenta a relação Oiá-Xangô, dizendo que foi fundamental o papel de Iansã na sucessão dinástica de Xangô, já que é considerada a mãe dos egungun, a que usa a máscara, sendo assim fundamental o seu papel junto aos ancestrais. Situa que não é possível falar de Iansã sem citar Xangô.

Quando Xangô dança representa suas pedras de raios, sementes de sua fecundidade. Xangô glorifica, mas contam os mitos que, numa certa época, como ser humano, considerou a vida insuportável, e começou a se sentir sem autoestima e desafiado por rivais em sua cidade e por outros reinos. Buscou, então, meios mágicos para consolidar o seu poder. Soube que o rei de Bariba possuía um preparado medicinal que, colocado sob a língua, fazia cuspir pedras de raios com capacidade para derrubar exércitos. De sua cidade, Oió, enviou a Bariba sua esposa favorita, Oiá, que cumpriu sua missão, mas guardou secretamente uma pequena parcela do raio. Infelizmente, ao experimentar seus poderes do alto de uma montanha, Xangô enviou um grande raio para as vizinhanças de seu próprio palácio, causando grandes danos e deixando poucos sobreviventes. Horrorizado por ter aniquilado aqueles que pretendia defender, inundou a capital e se enforcou num local posteriormente denominado Koso, que quer dizer "Ele não se enforcou". Aí reside o mistério. Xangô desapareceu no chão e tornou-se um orixá. A árvore àyàn em que tentara pendurar-se foi divinizada como Ayan, padroeira dos tocadores de atabaque. Oiá, que o seguira à distância, ficou tão alucinada pela dor que também desapareceu num pântano em Irá. Juntos eles agora regem o céu tempestuoso. Os ventos de Oiá precedem as tempestades. As semen-

tes de chuva de Xangô fertilizam a terra. No meio dos dois está a origem do raio.

Gleason (1999) conta que o pedaço de raio guardado por Iansã, escondido sob sua língua, é representado em seu pejí (altar) por um pequeno par de espadas na África e por uma pesada faca de mato nas Américas.

Verger (2000) conta que na Bahia há uma lenda que relaciona Iansã com um antílope, mas que não parece ter ligação com os mitos africanos, podendo ter sido criado no Brasil:

Iansã era uma corça que se transformou em mulher. Quando quer ir ao mercado da cidade, ela retira sua pele em um canto da mata e a esconde em uma moita. Xangô encontra-se com ela no mercado, acha-a muito bonita e a deseja. Vai seguindo-a de longe até a mata e vê como ela retoma seu aspecto de corça.

Na próxima vez que ela vai ao mercado, Xangô torna a vê-la, vai até a mata, antes de Iansã, apodera-se da pele e a esconde em sua casa, no teto. Voltando para

· IANSÃ ·

perto da moita, encontra-se com Iansã, que está desolada por não conseguir encontrar sua pele. Xangô a leva para sua casa, onde já tinha duas mulheres, Oxum e Obá, que ainda não lhe haviam dado filhos. Após algum tempo Oiá torna-se mãe de gêmeos (Ibeji). As duas outras mulheres ficam enciumadas e procuram descobrir o segredo dessa mulher tão bela, cuja família ninguém conhece. De tanto importunar Xangô, uma delas consegue que ele revele, pedindo que ela guarde segredo, como Iansã tornou-se uma mulher e onde a pele está escondida.

Todas as vezes que a mulher estava sozinha com Iansã, cantava com ares maliciosos e indiferentes: Maje mamu awo re gbe laka ("Ela come, ela bebe, sua pele fica no teto"). Iansã, intrigada com essa cantiga, vai até o lugar indicado, encontra sua pele, veste-a, volta a ser uma corça e foge para a mata.

Quando Xangô regressa, enfurecido, tenta fazê-la voltar. A corça se apresenta e tenta matar todo mundo a chifradas. Xangô, então, coloca diante dela uma gamela cheia de acarajé, prato preferido de Iansã. Ela se acalma e, em sinal de aliança com Xangô, entrega-lhe seus dois chifres. Quando ele precisar dela, só tera de bater um no outro.

Contam na Bahia que é por causa desta lenda que se canta: *Oya geri ole gere gere* (Iansã sobe no telhado rápido, rápido).

Oiá é chamada Iansã por ser Iyá Abesan, perto do palácio Akron, em Porto Novo. Verger (2000) conta:

Abesan é a mulher de Xangô e vieram juntos ao mundo. Ogum toma Abesan de Xangô, que, muito aborrecido, vai se queixar a Olorum.

— *Ogum tomou Abesan de mim* — *diz ele a Olorum.*

— *E o que você vai fazer com ele?* — *pergunta Olorum.*

— *Lutarei com ele* — *responde Xangô.*

— *Urine em cima da cabeça de Ogum* — *aconselha Olorum.*

Xangô assim fêz e a chuva começou a cair abundantemente. A cabana de Ogum desabou, as paredes ruíram. Xangô enviou um edun-ara (pedra de raio) em cima de Ogum. Sua cabeça quebrou e dela saiu fogo.

· IANSÃ ·

Abesan começou a gritar "Oiá o" e os habitantes daquela região gritaram com ela: "Kawo" (olhem-no). Então ela voltou para Xangô.

É por isso que Xangô carrega um *oxe* (machado de lâmina dupla). Antes não o carregava, só portava *aja* (chocalho), mas não quis mais carregar a mesma coisa que Ogum. Conta Verger (2000) que, como Ogum devolveu a mulher de Xangô, quando este briga com alguém, se essa pessoa se refugia junto a Ogum, Xangô a deixa em paz..

Verger conta outra lenda recolhida em Adja Were, ainda por conta do nome Iansã:

Por que Oiá se chama Iansã?

Oxum é a mulher de Xangô.

Oiá já está velha, vai ao encontro de Xangô e o acha muito belo, diz que quer casar com ele.

Xangô replica que ela é velha demais.

Ela responde que sabe que é velha, mas que está decidida a desposá-lo.

Xangô lhe diz que ela vá então buscar seus pertences e volte, e que ele se tornará seu marido.

Depois que eles se instalam, Oiá não quer que Xangô saia com outras mulheres. Diz-lhe que, desde o dia em que ela nasceu e até sua morte, pertence a ele e morrerá no mesmo dia que ele.

Xangô diz a si mesmo: "A velha que chegou esta noite juntou o amor das outras mulheres em seu coração". É por isso que a chamam a mãe da noite, "Iyá(o)san". No dia em que Xangô voltou para sua terra, Iansã o acompanhou.

IANSÃ E OGUM

Gleason (1999) conta um envolvimento de Iansã com Ogum relacionado aos chifres de búfalo:

Um dia Ogum estava caçando, quando viu um enorme búfalo que passeava distraído perto dele. Preparou-se então para matá-lo, quando viu sair de dentro dele uma linda mulher que correu e escondeu a pele, indo para a cidade. Ogum a segue já apaixonado e a pede em casamento. Oiá desconfiou que Ogum sabia de seu encantamento, mas ele promete não revelá-lo a ninguém. As outras mulheres de Ogum jamais aceitaram dividi-lo com Iansã e conseguem descobrir o segredo. Dizem então: "Você é bonita, mas é um bicho". Oiá transforma-se novamente em búfalo e entrega a seus nove filhos um par de chifres para que, quando eles sentissem saudades dela, batessem um no outro e ela então apareceria. Assim foi embora e nunca mais voltou.

IANSÃ E AS ÁGUAS

Iansã também está relacionada às águas, com as outras iabás, os orixás femininos. A turbulência das águas do Rio Níger é atribuida a Oiá, e somente sua interferência poderá acalmá-la. Aplacar a ira de Iansã é sinal de boa viagem e garantia de uma boa travessia no rio. Mas não apenas as águas revoltas são aplacadas por Iansã, todos solicitam proteção para os raios e vendavais que também estão a ela associados. Garantir sua proteção permite pouso seguro e proteção nas estradas para todos os que viajam em terras e caminhos desconhecidos.

Segundo Barros (1999:162), para acalmar as águas do rio os fíéis oferecem presentes e cantam:

Dá ni a padá lòodò
[Quem pode cessá-lo para podermos voltar pelo rio é Iansã]
Oya ó, odò hó yá-yá
[O redemoinho do rio, quem pode cessar é Iansã]

OYA SEJU

Nas comunidades-terreiros muitas são as formas de passar os valores relacionados aos orixás. Pode ser através de contos que falam de situações de vida ou mitos sobre os orixás. Mãe Beata de Iemanjá, no seu *Caroço de dendê*, nos traz contos plenos de ensinamentos. Dentre eles destacamos:

· IANSÃ ·

Oyá Seju era uma negrinha muito sapeca que era criada por uma mulher muito severa. A mulher não deixava Oyá Seju parada, era Oyá Seju pra lá, Oyá Seju pra cá.

— Oyá Seju lava a louça!

— Oyá Seju vai na feira!

— Oyá Seju passa a roupa!

— Oyá Seju apanha meu saco de costura!

Oyá Seju já vivia danada, e suas perninhas sempre finas. Eram tão finas que pareciam um graveto.

Um dia, a senhora virou e disse:

— Olha, negrinha, eu vou te dar esse pote de mel para você ir vender. Só me apareça quando vender tudo.

Lá se foi a sapeca da negrinha com o pote na cabeça. Perto dali, morava um negrinho, capetinha como ela, e os dois quando se encontravam pintavam o sete. Neste corre pra cá corre pra lá, quebraram o pote de mel. Aí, os dois se puseram a chorar. Então, veio de lá o gambá todo sujo de mel, com o corpo cheio de folhas, e viu os dois sentados na beira da estrada chorando. O gambá logo se condoeu e perguntou, pois, neste tempo os bichos falavam:

— *O que houve com vocês que tanto choram?*

— *Eu quebrei o pote de mel que minha sinhá mandou vender, mas o culpado foi esse capeta, pois eu sou uma boa menina* — disse Oyá Seju.

O gambá olhou assim para ela, desconfiado, e começou a rir, dizendo:

— *Eu sei. Pelos seus olhos e sua cara, já vi que você é um anjo! Só falta a asa. Mas eu estou com pena de vocês, e sei onde vocês podem arrumar mel. Só digo se você, negrita, falar a verdade. Vocês são irmãos?*

A moleca logo gritou:

— *Eu sou lá irmã deste moleque? Você veja, o nome dele é Idjebi. Que nome feio é este!*

O gambá lhe disse:

— *Você sabe o que quer dizer o nome dele? Quer dizer "sem culpa", e ele é um menino bom. Até agora, eu só ouvi você condenar ele, e ele assumindo a culpa. E você aí com essa cara de santa! Olha, eu só digo onde tem o mel se você também assumir a culpa, do contrário, eu deixo você apanhar.*

A negrinha levantou e disse:

— *Olha, seu gambá, fui eu que chamei ele pra brincar. Aí derramamos o mel.*

— *Olha, a casa da comadre abelha é aqui perto. Ela é muito caridosa e trabalhadeira. Ela dá o mel a você. Num instante, ela faz outro. Mas não diz a ela que fui eu, pois eu não posso aparecer, porque toda noite eu vou lá roubar o seu mel* — *disse o gambá.*

O gambá ensinou como chegar à casa da abelha, e lá se foram eles. A abelha, que era muito boa, deu o mel, nem vendeu. A negrinha foi para o mercado, vendeu todo o pote de mel e levou o dinheiro para sua senhora.

Sabe, essa história coloca que a gente nunca deve tirar a nossa culpa e botar no nosso irmão. Logo, Oiyá Seju estava errada e Idjebi, por ser um bom menino, não a condenou em nenhum momento.

IANSÃ EM CUBA

Segundo Fernando Ortiz (1950), as referências a Iansã em Cuba se ligam a uma visão de centelha fulmi-

• IANSÃ •

nante, com as cores do arco-íris, que dança agitando um traje de cretone estampado com flores, frenética, no meio da floresta, com uma chama purificadora, que arde em sua mão direita. Sua ação litúrgica e sua coreografia são rápidas, mas suas cantigas são graves e solenes como um convite à justiça.

Para Lydia Cabrera (1954) muitas são as histórias de Iansã:

- Xangô roubou de Ogum sua mulher Oiá.
- Oiá ou Iansã, Mama-Oya-ferekun, a Virgem da Candelária, dona do relâmpago, inseparável e fiel concubina de Xangô, que o segue onde quer que ele vá e combate a seu lado em todas as batalhas.
- Oya Obinidoddo, diz-nos um filho da deusa, é o braço direito de Xangô, a mulher que ele mais ama e respeita. Quando ele vai guerrear, ela vai à sua frente. Sem a ajuda de Oya, Xangô teria sofrido frequentes derrotas, a exemplo do que ocorreu quando ele guerreou com Ogum.
- Oya-Oya de Tapa é do mesmo território que Xangô De Horin; ele baixou em Cuba.

- Oiá é uma filha da terra de Ota, onde nasceu minha avó, conforme declara este soroyi (cantiga):
  "Oma do omo ota. (bis)
  Re bi iwaOya Mola eleya"
  mas ela seguiu Xangô e foi a Takua.
  "Oya jecua jei (epa hei) yo ro obini oddo! Ota wole nile ira!"
- Os yesas (ijexás) dizem que ela é yesa, os takuas (tapa) afirmam que ela é takua. Os minapopos dizem que ela é mina, mas, acredite, ela é takua.
- A lealdade de Oiá, sua fidelidade, sua constante abnegação jamais faltaram a Xangô, em momento algum de sua vida arrojada.
- Algumas vezes Oiá é também o vento mau, o turbilhão, o ciclone devastador. Precede Xangô e carrega a tempestade em suas saias, enquanto o Orixá combate, lançando raios e pedras, cuspindo fogo pela boca. (Oiá, embora seja tão revolucionária e corajosa nos combates, é muito mulher e gosta muito de sua casa. Passa anos sem sair dela e fica sossegada em seu canto.)

- Oiá queria Xangô somente para ela e sofria quando ele saía. Querendo impedi-lo de ir para longe dela, invocou os mortos e cercou a casa com Ikus. Foi assim que manteve Xangô prisioneiro. Cada vez que Xangô abria a porta e tentava sair, os mortos vinham até ele, assoviando: "fiii". Ele voltava e trancava a porta.
- Para vencer Xangô duante uma guerra, Oiá foi pegar uma caveira no cemitério. O combate começou. Oiá mostrou-lhe de perto a caveira:
  "Inguio balele enguerio
  Oya maddecolaso
  Inguio balele"
  e Xangô abandonou precipitadamente o campo de batalha.

4.3 CÂNTICOS EM LOUVOR A OIÁ

Quando começam os toques e cânticos em louvor a Oiá, o barracão se transforma, já que a música contagia a todos, como situa Barros (1999):

· IANSÃ ·

Oya kooro nilé ó geere-geere
Oya kooro nlá ó gè àrá gè àrá
Obìrim sápa kooro nilé geere-geere
Oya kiì mò rè lo
[Oiá ressoou na casa incandescente e brilhante,
Oiá ressoou com grande barulho, ela corta com o raio,
Ela corta com o raio, é divindade arrasadora que ressoou na casa sensual e inteligente.
Saudamos a Oiá para conhecê-la melhor.]

Para pedir que as águas do rio se acalmem, bem como raios e vendavais, todos cantam:
Odò hó yà-yà- yà
Dá ni a padá lóodò
Oya ó, adò hó yá-yá
[Redemoinho dos rios
Quem pode cessá-lo para podermos
voltar pelo rio é Oiá.
O redemoinho do rio, quem pode cessar é Oiá.]
Oyá têtê óiá bálé óiá têuntê aiabá
Oyá têtê óiá têuntê óiá

· IANSÃ ·

[Oiá em bom tempo (rapidamente) varre a terra,
Oiá está no topo, é a rainha.]

Xô xô xô ecurú óiá balé ecurú
Xô xô xô ecurú óiá balé ecurú
[Quebra o vento, quebra o vento, quebra o vento
E varre a poeira suspensa no ar, Oiá varre a poeira
Suspensa no ar.]

A pada cô bé um ôjô óiá níbalé
A pada cô bé um ôjô óiá níbalé
[Nós voltamos para não perdermos as cabeças,
Morrer naquela chuva e sermos varridos por Oiá.]

Bírí ibí bó uan lôju ôbérí côman manriuô
Bírí ibí bó uan lôju ôbérí côman manriuô
[Esta é uma pequena porção do culto, mas os olhos
Dos não iniciados nos mistérios do culto não
Conhecem os segredos encobertos pelas folhas da
palmeira.]

Ô gan igan ilôcô bíriibi a xauôrô

· IANSÃ ·

Ô gan igan ilôcô bíriibi a xauôrô
[Ela abriu uma clareira numa pequena porção da
Fazenda, foi ali que nós a cultuamos de acordo
Com os costumes tradicionais.]

Bóra qui amórié ôni bíribiri ojulôdêô
Bóra qui amórié ôni bíribiri ialôdê.
[Louvando o raio que nós a conhecemos, vendo-a,
Ela é quem nos surpreende olhando ao redor.
(Para nossa surpresa, olhando ao redor) louvando
(Cultuando) o raio, nós entendemos quando a vemos
Ela nos surpreende, ela é a primeira dama.]

Óiá óiá côorô nilê atí motumbálé
Óiá óiá côorô nilê atí motumbálé
[Oiá ressoou na casa e eu a reverenciei
humildemente prostrando-me ao chão.
Oiá ressoou na casa e eu a reverenciei
humildemente prostrando-me ao chão.]

Ô qui manlé alábá é quimanlé alábá é
Mabó é mabó quimanlé alabá é , ô qui

· IANSÃ ·

Manlé alábá é quimanlé alábá é mabó.
[É ela quem compreende o Senhor dos Egungun,
Ela compreende o Senhor dos Egungun, é a ela quem cultuamos,
cultuaremos aquela que entende o Senhor dos Egungun.]

Puêénhiim aabô puêénhiim aabô faráôjô.
Puêénhiim aabô fará ôjô puêénhiim aabô fará ôjô
[Vos pedimos proteção, vos pedimos proteção
Contra os raios da chuva.]

Finibô óiá finibô óiá ô guêrê
Ô nimanlé laríô finibô óiá.
[Se Oiá for ao bosque, se Oiá for
À floresta ela se incendiará, pois Oiá é
Resplandecente como joia de alto valor,
se Oiá for ao bosque...]

Óyá ônilé ôni guêrêpô ô parôtí
Óyá ônilé ôni guêrêpô ô parôtí.
[Oiá Onilé se incandesce na massa de barro
E ela usa colares de couro.]

· IANSÃ ·

Xê umbêlê xê umbêlê éléni xáxerê
Xê umbêlê xê umbêlê éléni xáxerê
[Proteja nossa casa, proteja nossa casa (Oiá)
Senhora para quem nós brincamos.]

Óiá côorô ôcõorô ô óiá côorô ôcõorô ô.
[Oiá tiniu (ressoou), ela ressoou, Oiá ressoou
Ela ressoou.]

Ô labalába ô lábaô ô labalába ô lábaô.
[Ela (Oiá) é uma borboleta, ela é uma borboleta.]

Oluafééfé sori oman oluafééfé sori oman
[Dona dos ventos que sopram sobre os filhos,
Dona dos ventos que sopram sobre os filhos.]

Ójé nibó qui óiáô ójé nibó qui óiá
Icúfô uéré uéré ójé nibó qui óiá.
[O Sacerdote de Egungun cultua e cumprimenta Oiá,
O Sacerdote de Egungun cultua e cumprimenta Oiá.
Ikú (a morte) vai embora suavemente
quando o Sacerdote de Egungun cultua Oiá.]

· IANSÃ ·

Óiá balé élariô óiá balé
Óiá balé élariô óiá balé
Adamadê fará guémbêlê
Óiá balé élariô
[Oiá tocou a terra, ela é de alto valor,
Oiá tocou a terra. Oiá tocou a terra.
Ela é de alto valor. Oiá tocou a terra.
Que a sua espada não chegue até nós,
nem use os raios para cortar a casa onde vivemos.]

Ô iquí balé é lariô ô iquí balé
Ô iquí balé é lariô ô iquí balé
Balé balé qui nixê oro odô ô qui balé
Éláriô ô iquí balé lê ará unló
[Nós a cumprimentamos tocando a terra. Ela possui alto valor.
Nós a cumprimentamos tocando a terra.
Nós a cumprimentamos tocando a terra. Ela possui alto valor.
Nós a cumprimentamos tocando a terra.
Tocamos a terra cumprimentando aquela que torna o rio sagrado.

A cumprimentamos tocando a terra. Ela possui alto valor.
A cumprimentamos tocando a terra para podermos mandar os raios embora.]

Adê balé lariô adê balé
Adê balé lariô adê balé
Balé nilêuan óiá man nixê orôodô
É qui bébéuan é ni óiá qui ará unló.
[Chegou a nós varrendo, ela possui alto valor
E chegou a nós varrendo. Chegou a nós varrendo,
Ela possui alto valor e chegou a nós varrendo.
Sabemos que Oiá torna o rio sagrado, é ela quem
Pode fazer coisas maravilhosas por eles, é Oiá
Quem tem poderes para mandar os raios embora.]

Ôfélélé adêô ôfélélé
Ôfélélé adêô ôfélélé
Óiá quixêbê lôquê ôdo ô
Félélé óiá bambalêuá
Ôfélélé.
[Ela é aquela que chega até nós agitando

· IANSÃ ·

Os ventos, ela é aquela que agita os ventos.
Saúdo Oiá que mora à beira-rio, ela agita os ventos.
Oiá está do lado de fora da nossa casa.]

É óiá belêbelê óiá belêbemiô
É óiá belêbelê óiá belêbelê bêmiô.
[É Oiá quem pode dar proteção para a casa,
Oiá pode dar proteção à casa e a mim.
É Oiá quem pode dar proteção para casa,
Oiá pode dar proteção à casa e a mim.]

Óiádê élariô ônijé caráló
Jinan siauá. Óiádê élariô ôni
Jè caráló jinan siauá.
[Oiá chegou, ela possui alto valor, ela é quem pode
Mandar os raios para longe de nós. Oiá chegou, ela
Possui alto valor, ela é quem pode mandar os raios
Para longe de nós.]

Têuntê óiá quinijé têuntê óiá quinijé
[É Oiá quem está acima de todos,
É Oiá quem está acima de todos.]

· IANSÃ ·

Segundo Mundicarmo Ferretti (2000), encontramos no xirê da mina da Casa Fanti-Ashanti do Maranhão cantigas cantadas para os orixás nagôs, que transcreve do livro da autoria de Ferreira, E., *Orixás e voduns em cânticos associados*, publicado em São Luís pela Editora Alcântara em 1985.

Reproduzimos aqui a cantiga de Oiá (Iansã) que a relaciona a Sobô.

Oyá, Oyá matin jalou

Oyá, Oyá matin já

Sogbô é matin jalou

Oyá, Oyá matin já.

Oké, oké hó tápa

Oké, ekom deinha

Oké, oké hó tápa

Mamam Sogbô tá na deinha

Deinha, deinha (bis)

Akissi ki siná deinha,

A oyó, akissi ki sina deinha.

• IANSÃ •

Verger (2000) apresenta orikis e cantigas em louvor a Iansã cantadas em diferentes locais da África e na Bahia, que contam mais um pouco das características deste orixá singular, sendo que algumas a definem:

- Oiá cujo marido é vermelho.
- Oiá que morre corajosamente com seu marido.
- Oiá que briga no mar com Olokum sem ter a culpa.
- Oiá que embelezou seus pés com pó vermelho (osun).
- Ela acende o fogo em um ajere (alguidar cheio de furos) e o leva na cabeça.
- Vento da morte.
- Xangô é o marido, Abesan é a mulher.

Podemos constatar que outros orikis demonstram o seu poder:

- Ela assusta muito as pessoas antes de matá-las e comê-las.
- Oiá é a única que pode agarrar os chifres do búfalo.

· IANSÃ ·

- Com toda força, ela bate a cabeça do mentiroso no chão.
- Ela estraçalha a cabaça, ela arrebenta a cerca.
- Com o polegar ela estraçalha os intestinos do mentiroso.
- Abesan desfaz o nocivo montículo de terra.
- Vento forte que corta a árvore na porta da casa do sogro.
- Oiá, tornado que espalha as folhas das árvores iti por toda parte.
- Oiá, mulher corajosa que, ao despertar, carrega a espada.

Em outros orikis Iansã aparece como protetora:
- Orixá que protege seus amigos na terra.
- Carregue-me nas costas e não me ponha no chão, mulher de Xangô.
- Ela apoia a criança que combate na guerra.
- Oiá, que a chuva não me mate!

5 | IANSÃ E O PODER FEMININO

A perseguição impiedosa feita aos quilombos, em função da íntima relação entre as insurgências negras e as comunidades religiosas de base africana, além da ameaça representada pelo Quilombo dos Palmares, oportunizou a liderança religiosa das mulheres, já que o governo promoveu um extermínio brutal dos líderes religiosos. O culto aos orixás, que pode ser liderado por homens ou mulheres, encontrou na mulher negra o principal esteio para a manutenção das tradições religiosas e culturais da comunidade.

É no dia a dia das mulheres negras e pobres que a força de Iansã e das demais iabás se revela. No mercado sua presença se evidencia, porque troca é movimento, e o movimento caracteriza Iansã e Exu. Exu é chamado de Olóojà, o dono do mercado, mas Iansã, o vento, representa a mulher guerreira, que diz o que pensa, faz o que tem vontade e lidera os movimentos libertadores. Iansã é *a dona do mercado!* Iansã é uma representação social de luta e independência.

Todas as representações que as instituições elaboram têm a marca da tensão, dando-lhe um sentido e buscando mantê-la nos limites do suportável. O conflito entre o individual e o coletivo não é somente do domínio da experiência de cada um, mas é igualmente realidade fundamental da vida social.

As representações sociais, enquanto imagens construídas sobre o real, não são necessariamente conscientes. Podem ter sido elaboradas por filósofos ou ideólogos de uma época, atravessando, no entanto, a sociedade ou um determinado grupo social, como algo anterior, tradicional, habitual, que se reproduz a partir das estruturas e categorias de pensamento do coletivo ou dos grupos.

Nós criamos representações para transformar algo não familiar, ou a própria não familiaridade, em familiar. Tornar familiar é tornar presente em nosso universo interior o que se encontra distante de nós, o que está ausente. Representar um objeto é conferir-lhe o status de um signo, é torná-lo significante, logicamente, dominá-lo, tornando-o nosso.

A representação social dos orixás, especificamente de Iansã, tem sido uma forma de identidade e autoestima para as mulheres negras, tão alijadas de poder. O saber das iabás cria outras formas de organização da vida e do mundo. A representação do mercado é uma destas formas de resistência ao sistema dominante e excludente.

Nos mercados se destacam as baianas do acarajé, comida preferida de Iansã, tradição iniciada no Rio de Janeiro por Tia Bebiana de Iansã. As baianas de Amaralina vendem seus acarajés ainda com fogareiro alimentado a carvão, segundo a tradição, e fazem parte da Federação das Baianas do Acarajé, que já é profissão reconhecida e com direito a carteirinha em Salvador.

Podemos constatar que o movimento feminista no Brasil ampliou seus horizontes, passando a situar como alvos de sua luta não apenas os assassinatos ou crimes de sangue, mas também os pequenos "assassinatos do dia a dia", como a indiferença e os preconceitos racial e de classe.

Proliferam, assim, os movimentos específicos de grupos de mulheres, sendo que as primeiras organizações de mulheres negras, segundo Gonzalez (1985), surgem dentro do Movimento Negro, destacando-se a contribuição de Maria Beatriz Nascimento, que organizou em 1972, na Universidade Federal Fluminense, a Semana de Cultura Negra, seguida dos históricos encontros nas Faculdades Cândido Mendes, que reuniram toda uma nova geração para discutir o racismo e suas práticas, enquanto forma de exclusão da comunidade afrodescendente.

As mulheres negras se destacaram por discutirem o seu dia a dia, e em 1975, quando as feministas comemoravam o Ano Internacional da Mulher, elas apresentaram um documento que caracterizava sua situação de opressão e exploração. Os anos seguintes testemunharam a criação de diferentes grupos que enfatizam as mulheres negras e o princípio feminino africano. Em 1979 surgiu o Grupo Aqualtune; em 1980, o Coletivo Luiza Mahin. Em 1982 foi criado o Grupo de Mulheres Negras do Rio de Janeiro.

Lélia Gonzalez fundou em 16 de junho de 1983, no Rio de Janeiro, junto com Jurema Batista, Geralda Alcântara e muitas outras, o *Nzinga Coletivo de Mulheres Negras*, que reúne mulheres do movimento negro, de associações de moradores, de movimento de favelas. Em São Paulo, Thereza Santos, ainda em 1983, criou o Coletivo de Mulheres Negras de São Paulo, sendo que em 1986, no Rio, Alzira Rufino organizou o Coletivo de Mulheres Negras da Baixada.

· IANSÃ ·

Em 1988, na cidade de São Paulo, surge o *Geledés Instituto da Mulher Negra*, como uma proposta de atualização e adequação de matrizes culturais negro-africanas às necessidades contemporâneas da luta das mulheres negras, estruturando-se em torno de três programas básicos:

A) Programa de Direitos Humanos/SOS Racismo, oferecendo assistência legal para vítimas da violência racial;

B) Programa de Saúde, que busca conscientizar as mulheres sobre as doenças étnicas ou prevalentes na população afrodescendente, além de prevenir contra as DSTs, incluindo a AIDS;

C) Programa de Comunicação, gerador de folhetos, cadernos, cartilhas e eventos.

A 29 de junho de 1990, Alzira Rufino criou em Santos a Casa de Cultura da Mulher Negra, que tem na revista *Eparrei* (que tira o nome da saudação a Iansã) sua publicação semestral. A revista *Eparrei* espalha pelos quatro cantos do mundo todos os estudos, pesquisas e atividades da comunidade negra brasileira, sendo um reflexo da luta das mulheres negras contra o preconceito e as injustiças sociais, constituindo-se em um exemplo de qualidade editorial e competência cultural.

A Casa de Cultura da Mulher Negra promoveu o I e o II Encontro de Mulheres Negras da Baixada Santista e foi representante não governamental do Brasil na Conferência Mundial dos Direitos Humanos, em 1993, em Viena, além de acompanhar toda a Conferência Mundial contra a Discriminação Racial na África do Sul (2001) e o Fórum Social Mundial em Porto Alegre (2002 e 2003).

A 2 de setembro de 1992 foi fundada *Criola*, instituição de sociedade civil sem fins lucrativos, conduzida por mulheres negras de diferentes formações, voltada para o trabalho com mulheres, adolescentes e meninas negras, basicamente no Rio de Janeiro. As linhas de ação do *Criola* são oficinas, cursos e treinamentos, projetos de saúde, publicações, profissionalização e programas de defesa e garantia de direitos humanos.

· IANSÃ ·

O Centro de Documentação e Informação Coisa de Mulher — CEDOICOM — foi criado no dia 04 de dezembro de 1994 por mulheres negras oriundas de várias áreas profissionais, com o propósito principal de contribuir para a eliminação de todas as formas de opressão sofridas por mulheres, principalmente por aquelas que têm maior probabilidade de ser discriminadas ou socialmente excluídas, como mulheres negras, lésbicas, encarceradas, recém-libertas, meninas e adolescentes em situação de risco.

Nestes mais de dez anos, o CEDOICOM vem desenvolvendo projetos inovadores visando a atingir grupos sociais que ainda não foram minimamente contemplados por políticas públicas de impacto.

Em São Paulo, foi criado, em abril de 1997, o *Fala preta!*, organização de mulheres negras que tem Edna Roland como uma das fundadoras. Seu objetivo é promover o desenvolvimento humano sustentável, buscando a eliminação de todas as formas de discriminação e violência, especialmente as étnico-racial e de gênero.

Na África do Sul, em Durban, as mulheres negras brasileiras fizeram a diferença; Edna Roland, do *Fala Preta!*, foi a relatora oficial da Conferência Mundial contra o Racismo, trabalhando depois na UNESCO como responsável pela aplicação de políticas afirmativas que impeçam o racismo, segundo as determinações da Conferência de Durban.

Como afirmou Lelia Gonzalez (1985), "A verdade é que deixamos de ser invisíveis (...) Temos que estabelecer tarefas dentro de um campo concreto e desenvolver uma militância ativa junto às comunidades negras espalhadas pelo Brasil".

Décadas de avanços nas condições das mulheres de todos os países do mundo não atingem a mulher negra brasileira. Apesar de termos deixado de ser invisíveis, as estatísticas mostram que a concentração feminina negra é maior como empregadas domésticas, secretárias, professoras, vendedoras, balconistas e enfermeiras. O censo de 1990 indica existirem cerca de 30.000 mulheres negras como altas executivas e 2301 ocupando cargos de juízas no Judiciário. São também mulheres negras 62% dos profissionais da área de saúde, 42% dos diplomados em Direito, 19% em Engenharia e 40% na Imprensa. Apesar disso, segundo informação da Revista Veja Especial Mulher, de agosto/setembro de 1994, a maioria das mulheres negras não se localiza nestes quadros. As mulheres negras ainda precisam lutar pelo acesso a ocupações tidas como "femininas e brancas" no Brasil. Mesmo com diploma de curso universitário, conquistado com muito suor e lágrimas, as mulheres negras são subestimadas e rejeitadas.

É preciso revelar e assumir o poder de Iansã. Transformar tudo pelo seu movimento. Internalizar a ideia de que *o mundo é o nosso mercado; o céu é o lar*, como diz o oráculo de Ifá. O mercado é a representação do mundo em sua forma mais intensa e em sua versão social, e as mulheres são responsáveis por ele, já que é onde se geram os encontros, as seduções, as trocas de energia. As mulheres buscam sua independência econômica e os meios de alimentar seus filhos nas atividades do mercado. Iansã é a dona do mercado. *Eparrei*!

Referências bibliográficas

AJISAFE, A. K. *The laws and customs of the Yoruba people*. Lagos, Nigéria: George Routledge & Sons, 1924.

ALTUNA, Pe. R. R. de. *A cultura tradicional banto*. Luanda, Angola: Secretariado Arquidiocesano de Pastoral, 1985.

AWOLALU, J. *Yoruba beliefs and sacrifitial rites*. Essex, Inglaterrra: Longman House, 1979.

BARRETTO, M. P. *Os voduns do Maranhão*. São Luís: Fundação Cultural do Maranhão; [São Paulo:] UNESP, 1977.

BARROS, J. F. P. de. *O segredo das folhas*: sistema de classificação de vegetais nos candomblés jeje-nagô do Brasil. Rio de Janeiro: Pallas; UERJ, 1993.

BARROS, J. F. P. de. *A fogueira de Xangô, o orixá do fogo*. Rio de Janeiro: UERJ, 1999.

BASTIDE, R. *O candomblé da Bahia*: rito nagô. Tradução de Maria Isaura Pereira de Queiroz. 2. ed. São Paulo: Nacional; [Brasília]: INL, 1978. (Brasiliana, v. 313)

CABRERA, L. *El monte*: igbo finda, ewe orisha, vititinfinda (notas sobre las religiones, la magia, las supersticiones y el folklore de los negros criollos y del pueblo de Cuba). Havana, Cuba: Ediciones C. R., 1954.

CACCIATORE, O. G. *Dicionário de cultos afro-brasileiros*. Rio de Janeiro: Forense Universitária; SEEC–RJ, 1977.

COSSARD, G. B. A filha de santo. In: MOURA, C. E. M. (org.). *Olòòrisá*: escritos sobre a religião dos orixás. São Paulo: Ágora, 1981.

FERRETTI, M. M. R. *Desceu na guma*: o caboclo do tambor de mina em um terreiro de São Luís — a Casa Fanti-Ashanti. São Luís: EDUFMA, 2000.

FERRETTI, S. *Querebentan de Zomadonu*: etnografia da Casa das Minas. São Luís: UFMA, 1985.

GLEASON, J. *Oyá*: um louvor à deusa africana. Rio de Janeiro: Bertrand Brasil, 1999.

GONZALEZ, L. Mulher negra. In: *Revista Afrodiáspora*. São Paulo: IPEAFRO, a. 3, n. 76-7. 1985, p. 104.

LUZ, M. A. *Agadá*: dinâmica da civilização africano-brasileira. Salvador: Centro Editorial e Didático da UFBA; Sociedade de Estudos da Cultura Negra no Brasil,1995.

MBITI, J. *African views of the universe in african history and culture*. Lagos, Nigéria: Longman, 1982.

OGBEBARA, A. *Igbadu*: a cabaça da existência: mitos nagô revelados. Rio de Janeiro: Pallas, 1998.

OLIVEIRA, B. *Cantando para os orixás*. Rio de Janeiro: Pallas, 1993.

ORTIZ, F. *La africania de la musica folklorica de Cuba*. Havana, Cuba: Ediciones Universales, 1950.

REGO, J. C. *Dança do samba, exercício do prazer*. Rio de Janeiro: Aldeia; Imprensa Oficial, 1994.

ROCHA, A. M. *As nações ketu*: origens, ritos e crenças: os candomblés antigos do Rio de Janeiro. 2. ed. Rio de Janeiro: Mauad, 2000.

SANTOS, D. M. dos. *Contos crioulos da Bahia*. Petrópolis: Vozes, 1976.

SANTOS, J. E. dos. *Os nagô e a morte*. Petrópolis: Vozes, 1977.

SODRÉ, M. *Claros e escuros*: identidade, povo e mídia no Brasil. Petrópolis: Vozes, 1999.

THEODORO, H. *Mito e espiritualidade*: mulheres negras. Rio de Janeiro: Pallas, 1996

VERGER, P. *Orixás*: deuses iorubás na África e no Novo Mundo. Salvador: Corrupio, 1997.

VERGER, P. *Notas sobre o culto aos orixás e voduns*. São Paulo: EDUSP, 1999.

VOGEL, A. *Galinha-d'angola*: iniciação e identidade na cultura afro-brasileira. Rio de Janeiro: Pallas, 1993.

WERNECK, J. *O livro de saúde das mulheres negras*: nossos passos vêm de longe. Organização de Jurema Werneck, Maisa Mendonça e Evelyn C. White. Tradução de Maisa Mendonça, Marilena Agostini e Maria Cecilia MacDowell dos Santos. Rio de Janeiro: Pallas; Criola, 2000.

YEMONJA, Mãe Beata de. *Caroço de dendê*: a sabedoria dos terreiros: como ialorixás e babalorixás passam conhecimentos a seus filhos. Rio de Janeiro: Pallas, 1997.

Sobre a autora

Sou tijucana de nascimento e por opção. Fiz o curso normal no Instituto de Educação e o curso de Pedagogia na UERJ, completando a pós-graduação com um mestrado em educação na UFRJ e um doutorado em filosofia na Gama Filho. Sou pesquisadora de cultura brasileira e atuo desde 1984 no júri do Estandarte de Ouro, além de coordenar a pós-graduação de Figurino e Carnaval da Universidade Veiga de Almeida. Sou frequentadora do Salgueiro, escola de samba da família, referência da minha infância, espaço que considero extensão da minha casa. Sou também Vice-Presidente do Conselho Estadual dos Direitos do Negro (CEDINE/RJ), entidade que propõe políticas públicas que garantam igualdade de oportunidades e de direitos para a população negra carioca — luta esta presente também nos livros que escrevi: *Negro e cultura no Brasil* (1986); *Mito e espiritualidade: mulheres negras* (1996); *Superando o racismo na escola* (2007); *Guerreiras de natureza* (2008); e *Histórias, culturas e territórios negros na educação* (2008).

Este livro foi impresso em dezembro de 2024,
na Gráfica Edelbra, em Erechim.
O papel de miolo é o offset 75g/m²
e o de capa é o cartão 250g/m².
A fonte usada no miolo é a Gill Sans 10/17.